Nu ik

www.leopold.nl

Diet Verschoor

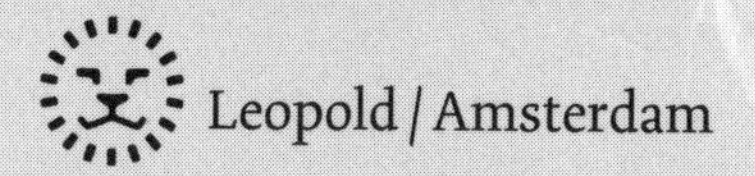

Eerste druk 2008

Omslagfoto: Mark Sassen

Omslagontwerp: Petra Gerritsen

Auteursfoto: Mark Sassen

Uitgeverij Leopold, Amsterdam / www.leopold.nl

ISBN 978 90 258 5219 1 / NUR 284

Mixed Sources
Productgroep uit goed beheerde bossen, gecontroleerde bronnen en gerecycled materiaal.
www.fsc.org Cert no. CU-COC-803223
© 1996 Forest Stewardship Council

Uitgeverij Leopold drukt haar boeken op papier met het FSC-keurmerk. Zo helpen we waardevolle oerbossen te behouden.

1

DAGBOEK

Vandaag heb ik besloten dat ik geen peper en zout meer wil zijn. Ik heb een plan. Een superplan en ik ga het aan niemand vertellen.

Ik ben namelijk een heleboel, een samenstelling. Van gezichten en karakters. Van genen en bloed. Van vakjes in mijn hoofd.

Ik ben Puck én Pauline. En ook nog een 'Verhaar.' En misschien heb ik ook nog wel een andere naam. Een jongensnaam. Mario bijvoorbeeld. Of Juan. Of Rover.

Ik zou ook een jongen kunnen zijn.

Er is nog iets, iets heel naars. Ik heb een zusje dat er niet meer is.

Als ik naar haar foto kijk begint ze te praten. Soms is ze kwaad en vals, soms is ze heel aardig. Dan zegt ze dat ik haar zusje ben.

Ben ik gek?

Of is zij gek?

Wat gebeurt hier?

Niemand mag dit weten.

Puck Pauline Verhaar

2

Het begon met een krantenknipsel over familietrekjes.

Gezichtsuitdrukkingen blijken erfelijk te zijn.

De manier waarop we kijken bij angst, blijheid of verdriet zit in de familie. De details van onze emotionele gelaatstrekken zijn zo typerend dat je van een 'erfelijke gezichtsuitdrukking' kunt spreken.

Mensen zetten wereldwijd dezelfde grimas op bij de zes voornaamste emoties: angst, vreugde, woede, walging, verdriet en verbazing. Ondanks die universele karakteristiek blijft er ruimte voor typerende trekjes, en die gaan van ouder op kind. (geknipt door Puck)

Vlak voor ik dat artikel las stond ik voor de spiegel. Ik kijk vaak naar mezelf. Ik weet namelijk niet wie ik ben.

'Puck is peper en zout,' zegt mijn vader.

Ik heet Puck. Puck Pauline Verhaar. Ik wil helemaal geen peper en zout zijn. Dat klinkt saai, grauw. Niets.

'Puck is onze vagebond,' zegt mijn moeder. Daarmee bedoelt ze dat ik te veel rommel maak, dat mijn kleren nooit netjes zijn, mijn kamer nooit opgeruimd is en mijn fiets altijd weer kapotgaat. En dat ik altijd alles kwijt ben. Maar ze bedoelt ook dat ik een zwerver ben en het liefst buiten speel.

'Spettertje Puck,' zegt mijn broer. Of: 'Ettertje Puck.'

Wij pesten elkaar vaak. Zomaar. Mijn broer is twee jaar ouder, maar hij is laat jarig, ik ben vroeg jarig. Zes maanden van het jaar schelen we maar één jaar.

'We lieten er geen gras over groeien,' grapt mijn vader soms. Mijn moeder kijkt dan wazig weg, alsof ze op een andere planeet woont. De Christientjesplaneet noem ik die.

Ik heet Puck Pauline naar mijn oma Pauline, de moeder van mijn moeder. Ik had een zusje die heette Christine Pauline. Zij is verdronken toen ze vier was. Vlak daarna werd ik geboren. Ik kreeg haar tweede naam.

'Christientje, onze Christientje.' Dat zeggen mijn vader en moeder allebei op een speciale toon. En heel vaak.

Ze kijken elkaar dan even aan en daarna beginnen die familietrekjes. Mijn vaders wenkbrauwen gaan omhoog en een mondhoek gaat omlaag. Hij veegt over die mondhoek alsof hij de woorden die hij wil zeggen wegveegt. Hij kucht. Hij haalt zijn neus op, hij wordt een briesend paard. Dan komt er een stem die iets zegt wat hij niet wil zeggen: 'Kom op jongens, opschieten.' Zoiets zegt hij dan.

Ik heb een keer gevraagd wat hij nou eigenlijk wilde zeggen.

'Hou jij je mond,' zei hij toen. 'En kijk niet zo brutaal.'

Ik doe hetzelfde als mijn vader. Mijn wenkbrauwen optrekken, mondhoek naar beneden en dan snel over mijn mond vegen, mijn neus ophalen en snuiven als een briesend paard. En dan zeg ik: Weten jullie dat het vanavond ouderavond is? Of: Weten jullie dat de vader van Erna vaak dronken is? Iets wat nergens op slaat en wat ik helemaal niet bedoel.

Ze dalen dan af van de Christientjesplaneet. Heel snel. Het lijkt wel alsof ze eraf gedonderd worden. Misschien zit daar wel een boze engel die roept: Stomme ouders, gaan jullie eens terug naar de kinderen die niet verdronken zijn.

'Wat? Ouderavond? Dat is toch pas volgende week?'

'Grapje geintje,' roep ik dan. 'En de vader van Erna is ook niet dronken, hoor. Hij speelt het alleen maar, zo leuk is hij.'

'Doe jij toch eens gewoon,' zegt mijn moeder dan. Ze is boos en verdrietig. Afwezig en vervelend. Met veel rimpels in haar voorhoofd en iets vochtigs in haar ogen alsof er zo een traan uit kan rollen.

Soms is mijn moeder lief, gek en vrolijk, dan ruikt ze anders. Ze loopt dan ook anders. Ze kan zo lief naar mij kijken dat ik wel zou willen huilen. Dan zitten we naast elkaar op de bank en draaien films. We hebben allebei een blaadje met lekkere dingen erop: fruit, gevulde koeken, thee, mandarijnen en stukjes kaas.

'Het is pyjamadag,' zegt ze dan, 'we hoeven helemaal niets en ik zit heerlijk met mijn dochter op de bank, we nemen de telefoon niet op, niemand mag ons storen. En we kleden ons de hele dag niet aan.'

Het is zelden pyjamadag.

Mijn broer heet Harm. 'Waarom hebben jullie Harm niet ook Harm Pauline of ten minste Harm Paul genoemd?' heb ik een keer gevraagd.

Er ontstond een benauwde stilte.

'Wil jij zulke dingen nooit meer zeggen!' Mijn vaders stem klonk ijzig.

'Oké, sorry hoor!' riep ik.

Mijn moeder stuurde mij de kamer uit. 'Ga boven maar nadenken.'

Ik denk niet zoveel na. Ik hou gewoon niet van nadenken. Ik kijk wel vaak en lang in de spiegel. Ik weet namelijk niet wie ik ben.

Wat ik wel weet is dat er iets in ons huis hangt. In de lucht, in de muren, in het stof, overal. Iets wat niet wegwaait en waar tranen en rimpels op plakken.

De foto van Christientje staat op mijn moeders bureau in de kamer. Er staat altijd een verse bloem bij. Vaak een viooltje of een roos. Soms brandt er een kaars naast de foto.

Christientje is knap, ze heeft een hoofd vol witte krullen, ze lacht. Ze is een beetje mollig. Op de foto draagt ze een rode jurk met paddenstoelen erop geborduurd en rode sandalen. Ze is prachtig bruinverbrand en heeft grote blauwe ogen.

'Een schoonheid, onze Christientje,' hoor ik mijn ouders vaak zeggen. Dan volgt er een zucht.

Boven op de slaapkamers van mijn ouders staan wel drie foto's van Christientje. Een als baby, een als tweejarige en een als vierjarige. Ze lacht op alle foto's en haar krullen zijn weelderig en witblond.

Er hangen ook drie foto's op de overloop. De linker is die van Christientje, daarnaast hangt de foto van Harm en dan die van mij.

Ik kijk recht in de lens, ik lach niet. Harm lacht wel, een soort grijns, Christientje lacht volop, zodat je allemaal kleine witte tandjes ziet. Net een roofdier, denk ik soms.

Ik heb een keer gespuugd op die foto, een dikke klodder op de mond van Christientje. Langzaam gleden de belletjes spuug over het glas naar beneden.

'Klein kreng,' zei Christientje. Ze keek heel venijnig.

'Valse tijger,'schreeuwde ik opeens.

Ik heb haar mond schoongeveegd met closetpapier. Daarna heb ik mijn tranen weggeveegd met hetzelfde closetpapier. Het werd een grote prop. Ik heb heel lang op de wc zitten huilen, al wist ik eigenlijk niet precies waarom.

3

Het komt door Siem, onze toneelleraar die ons helpt bij maken van de eindejaarsmusical. We maken de musical met de hele groep. Het verhaal hebben we met z'n allen verzonnen en Siem heeft al die ideeën uitgeschreven.

Vandaag moeten we oefenen voor de rollen. Auditie doen. Voorzingen, voordansen, voorspelen. Veel leerlingen hebben muziekinstrumenten meegebracht. Er moet ook een groot koor zijn waarin we allemaal zingen en dansen.

Voor veel inzetbaar, schrijft Siem achter mijn naam. *Zingen, dansen, acteren.*

Die woorden knallen in mijn hoofd. *Voor veel inzetbaar.* Het is alsof er opeens een grote deur opengaat. Ik word meer dan Puck. Ik ben een meisje met rode krullen dat kan tapdansen dwars over het toneel. Maar ik kan ook goed schelden. Ik moet spelen dat ik de moeder ben van het kleinste meisje van de klas. Jasmijn heet ze. Ik scheld heel hard, ik ben woedend. Ik zie de verbazing op het gezicht van Siem.

'Je hoeft haar niet in elkaar te slaan,' zegt hij.

De groep grinnikt. Jasmijn kijkt mij met grote ogen aan. Vochtige ogen zoals die van mijn moeder. Ze lijkt opeens bang voor mij. Ik word nog bozer.

'Ze is toch heel vervelend, ze doet toch dingen die niet mogen, die niet kunnen. Ik moet toch verschrikkelijk boos zijn?'

'Ja,' zegt Siem.

'Als ik speel ben ik echt boos,' zeg ik.

'Dat is pas spelen,' zegt Siem.

Dan mag ik proberen de boze fee te spelen. Ze heeft een grote rol in de musical.

'Ze is slecht en goed tegelijk,' legt Siem uit, 'maar voorlopig lijkt ze alleen maar slecht.'

Ik speel de boze fee. Ik moet orakeltaal uitslaan, niemand hoeft echt te verstaan wat ik zeg, als het maar woorden zijn. Onbegrijpelijke woorden. Het spuit eruit, een fontein van woorden die in mijn mond wonen. Ik bezweer de groep, het wordt doodstil. Mijn stem wordt steeds harder. Ik gebruik Engelse, Franse, Noorse en Surinaamse klanken. Alles door elkaar. Ik begin zelf te geloven in wat ik zeg.

De groep barst in lachen uit.

'Goed,' zegt Siem, 'dat is duidelijk, jij wordt de boze fee.'

Ik bén de boze fee, denk ik. Maar ik zeg niets. Siem geeft mij een knipoog.

'Volgende,' zegt hij en kijkt niet meer naar mij.

Even later speelt Erna op haar saxofoon. Het wordt doodstil in de groep en wanneer Siem zijn hand opsteekt om Erna te stoppen, breekt een groot applaus los.

'Mooi zo,' zegt Siem, 'die saxofoon van jou gaat de boze fee betoveren zodat ze een goede fee wordt.'

'Ik kan het beter andersom,' zegt Erna. 'Van goed naar slecht.'

Maar ik ben de enige die het hoort.

Ik loop tussen mijn vriendinnen in naar buiten. Jasmijn fietst hard weg. Ze doet net of ze mij niet ziet.

'Ze is echt bang voor je geworden,' roept Erna, 'wat was jij steengoed zeg, net echt.'

'Speelecht,' zeg ik.

'Rolvast,' peinst Tina, 'ik kan er niks van, ik kan helemaal niet spelen, ik wil alleen maar dansen en zingen.'

'Ik vind het beroerd,' zegt Erna, 'iedereen kijkt naar je, je eigen stem klinkt zo gek in de ruimte, ik wil niet toneelspelen. Maar ik wil wel saxofoon spelen. En zingen.'

'Ik wil wel spelen,' zeg ik. 'Dan ben ik opeens anders. Gekker nog, ik voel me heel iemand anders dan mezelf. Uit hoeveel personen bestaat een mens eigenlijk?'

'Je bent alleen jezelf,' zegt Erna.

'Je bent ván jezelf, dat zegt mijn vader altijd. Idioot gezegd, van wie zou je anders zijn?'

Tina kijkt ons aan. 'Van wie zijn jullie?'

'Van niemand,' zeggen we allebei tegelijk.

'Boze heks,' klinkt het naast ons. Marco uit onze groep fietst voorbij.

'Angsthaas,' roep ik terug.

Tina schopt met haar voeten door de bladeren. Zij is mijn beste vriendin, ze woont in dezelfde straat, schuin tegenover mij. We kennen elkaar al vanaf de crèche en onze moeders zijn vriendinnen geworden. Het huis van Tina ken ik net zo goed als mijn eigen huis. Ik slaap er vaak en Tina slaapt vaak bij mij.

Erna is er veel later bij gekomen. In de zesde groep van de basisschool pas. Erna is lang en een beetje vreemd. Ze woont alleen met haar vader in een groot huis aan de gracht midden in de stad. Ze speelt saxofoon en praat daar veel over. Toen Erna op school kwam liep ze dagenlang in de pauze alleen over het schoolplein. Ze ging steeds op dezelfde plek bij de grote boom staan en keek naar ons groepje. Niemand vroeg iets aan haar. Zij zei zelf ook niets.

'Wij gaan het doen,' zei Tina toen. Ze liep gewoon naar Erna toe en ze stonden heel lang te praten bij de boom. Ik wachtte tot Tina terugkwam. Maar ze kwam niet terug. Toen ben ik er ook heen gegaan. 'Puck is mijn beste vriendin,' zei Tina meteen. 'En Erna gaat er een worden.' Even was er een vreemde steek in mijn buik. Alsof Tina me zomaar een beetje in de steek liet.

'Wil jij dat?' vroeg Erna. 'Ik geloof het wel,' zei ik.

Sinds die ochtend gaan we altijd met z'n drieën naar school, ook nu we op de middelbare school zitten. We zien elkaar ook na school. We noemen ons de 'trioPET': Puck Erna

Tina. We gooien veel dingen die ons bezighouden in onze gezamenlijke pet en praten erover. Soms gooien we het gewoon weg en doen we er niets mee. 'Niet alles is oplosbaar,' zegt Erna altijd. Onze trioPET is heel belangrijk geworden. Ook knippen we meningen of citaten uit kranten en tijdschriften of we zoeken op internet: dingen die ons opvallen en die we opplakken en bewaren in een gezamenlijk schrift.

'Zag je dat Loes eigenlijk de boze fee wou worden?' grinnikt Tina. 'Loes wil altijd de hoofdrol. Net goed dat ze die vervelende moeder van Jasmijn moet spelen.'

'Loes is een trut.' Erna zucht. 'En nu is ze ook nog jaloers. Dat kan leuk worden.'

'Wacht maar tot Puck meer is dan Puck,' zeg ik dreigend.

Voor veel inzetbaar. Die woorden krijgen steeds meer betekenis. Siem is de eerste volwassene die iets van mij begrijpt. Dat kan dus.

'Ik heb de hoofdrol in de musical,' zeg ik 's avonds aan tafel nonchalant.

'Jij? Je meent het.' Harm begint hard te lachen. 'Jij kan toch helemaal niks speciaals?'

'O nee?' Ik geef hem onder de tafel een venijnige schop.

'Geen gedonderjaag,' zegt mijn vader. 'Een hoofdrol, Puck, vertel, wat moet je doen?'

Ik zie de ogen van mijn moeder op me gericht. Vandaag zijn ze niet vochtig. Ze kijkt echt naar me.

'Vertel,' zegt ze, 'wat gaan jullie doen?'

'Ik ben een boze fee, die doet allemaal rare dingen door het hele stuk heen. Maar ze wordt weer teruggetoverd tot de goede fee die ze eigenlijk is. Erna speelt saxofoon en door die klanken wordt de fee weer goed. Ze moet ook veel dansen en rare woorden zeggen.'

'O nee, hè.' Harm laat zich van zijn stoel vallen. 'Een boze fee, Puck de boze fee. En daar moeten wij naar gaan kijken?'

'Reken maar dat wij daar naar gaan kijken,' zegt mijn moeder. 'Wat leuk voor je, Puck, ik wist niet dat jij aanleg voor toneel had.'

'Ik heb aanleg voor veel,' zeg ik stoer, 'alleen weten jullie dat nog niet. Siem, onze toneelleraar, zag dat meteen.'

'Wij kunnen meer dan jullie denken. Hartstikke goed, Puck.' Harms stem klinkt harder dan anders.

Mijn ouders kijken elkaar lang aan. Ze zeggen niets maar ik weet dat ze nu allebei aan Christientje denken. Christientje die binnenkort zeventien jaar zou zijn geworden.

'Wisten jullie dat de buurvrouw gaat verhuizen?' zeg ik.

'Hè, wat, Ans? Die woont hier al meer dan dertig jaar.'

Ze zijn weer terug van de Christientjesplaneet. Ze kijken me allebei aan, los van elkaar.

'Grapje geintje.' Ik pik een stukje vlees van het bord van Harm.

'Boze kolere fee,' roept hij uit en pikt een groter stuk terug.

We hebben samen Christientje weer verdreven.

4

Een mens bestaat uit een som van persoonlijkheden en dus mogelijkheden. Het is de kunst deze persoonlijkheden allemaal te gebruiken. (geknipt door Erna)

'We zijn wie we zijn.' Dat zegt papa altijd. Maar Siem zegt dat we meer zijn. Hij zegt dat we soms meer persoonlijkheden in ons hebben. En die kunnen we uitspelen. 'Profiteer van de mogelijkheden die je in je voelt borrelen.' Dat zegt Siem en dan lacht hij heel grappig. En als ik zijn blik vang geeft hij mij een knipoog.

'Nietwaar Puck, heb ik gelijk?'

Ik knik en voel een vuurrode gloed over mijn gezicht gaan. Hij weet niet dat mijn leven hierdoor verandert. Alsof iemand opeens begrijpt dat je opgesloten zit, gevouwen als een servet, altijd net iets te klein, altijd net een beetje zoals je niet wil zijn. Hij weet niet dat ik opeens minder opgevouwen ben, alsof ik zou kunnen vliegen, hoog boven iedereen uit.

'Puck begrijpt mij.' Siem knikt en kijkt de klas rond. 'Nu jullie nog.'

'Hij is een beetje verkikkerd op jou,' fluistert Erna. Ze zwaait vreemd met haar hand en geeuwt overdreven.

'Jij bent gek,' zegt Tina. 'Die ouwe kerel.'

'Ach,' zegt Erna, 'wat is oud?'

Ik doe net of ik het niet hoor. Na schooltijd ren ik weg van het schoolplein. Het lijkt of alles er anders uitziet. Het lijkt mistig, maar iets is ook heel helder. Mistig helder, bestaat dat?

Ik ben niet verkikkerd op Siem, maar op wat hij zegt. Ik ben verliefd op Boris maar dat weet nog niemand.

Ik sta op de overloop bovenaan de grote trap en knik naar de foto van Christientje.

'Ik ga dus profiteren van de mogelijkheden die ik heb. Jij bent er één van,' fluister ik.

Christientje lacht. Ze lacht altijd. Haar kleine roofdiertandjes lijken mij te willen bijten. Ik praat heel vaak met haar. Ik droom hoe ze geworden zou zijn, mijn oudere zus. Ik droom dat ik haar schoenen aan wil trekken, haar spijkerbroek pas, haar lippenstift pik en haar sieraden stiekem uitprobeer. Dat doe je bij grote zussen, zeggen mijn vriendinnen. Behalve Erna. Die zegt bijna elke dag dat ze blij is dat ze alleen is en geen zussen en broers heeft.

'Wat een gedoe,' zucht ze dan. 'Ik vind mijn vader al zo vermoeiend en zo overdreven.'

Ik droom dat Christientje zegt: Ik ben trots op je, Puck.

'Je kunt trots op me zijn,' zeg ik zacht. Ik druk mijn mond op de foto. Ik geef haar een kus. Niemand weet dat ik dat heel vaak doe. 'Vandaag ga ik een heel groot beetje jou worden. Niet lachen, hoor. Het is de waarheid. Jij bent mooi, ik ben slim. Misschien ben jij ook wel slim, misschien word ik ook wel mooi.'

'Je bent veel slimmer en mooier dan ik,' zegt Christientje.

Ik schrik. 'Meen je dat?'

Christientje lacht. Het klinkt hard. 'Natuurlijk meen ik dat, ik ben toch je zus.'

Ik heb opeens buikpijn. Ik ben misselijk. Dat ben ik altijd wanneer er iets spannends gebeurt.

'Witte krullen en een rode trui, die moet ik eerst hebben, dan lijk ik echt op je. En dan lachen, veel lachen. En heel snel praten, zoals jij dat deed,' zeg ik zachtjes tegen haar lachende gezicht.

'Niemand kon zo snel praten als Christientje dat deed,' zegt mijn vader vaak met een diepe zucht. Alsof Harm en ik alleen maar kunnen stotteren.

'Dat was inderdaad heel bijzonder,' mijn moeder glimlacht, 'voor zo'n klein meisje.'

'Dat was meer dan bijzonder, dat beloofde wat.' Mijn vaders hoofd lijkt scheef op zijn nek te staan, zoals bij een hond die om een stuk koek bedelt.

Hij krijgt niks, onze vader. Van Harm niet, van mij niet. We praten gewoon door over andere dingen. We lijken wel in een geheime taal te spreken, harder, zogenaamd belangrijker.

'Jij kon helemaal niet praten, jij bralde tot je zes was,' grinnikt Harm opeens dwars door mijn vaders verhaal heen.

'En jij, jij kan het nog steeds niet. Geen stem, gewoon schorem, bijna achterlijk.' Ik schiet in de lach.

We kijken elkaar aan, bijten op onze lippen en soms lachen we heel hard en heel overdreven.

'Sukkel,' zegt Harm.

'Sukkel twee,' zeg ik.

We lopen weg van tafel, ze merken het niet eens. Ze houden elkaars handen vast en Christientje zit in de kinderstoel naast hen en spreekt haar eerste woordjes. Heel bijzonder, die Christientje van ons.

De kapper heeft een zaak op een van de grachten niet ver van school. Ik ben er nog nooit geweest. Ik ga niet naar mijn eigen kapper die vlak bij ons huis is in een straatje bij de Middenweg. Daar kennen ze onze hele familie en gaan ze vast vervelende vragen stellen.

Ik ben opeens van mezelf geworden. Ik beslis. Het is mijn haar, mijn hoofd. Maar vooral is het mijn wil.

Er werken drie jonge vrouwen bij deze kapper. Ze hebben hun haar geverfd en zien er spannend uit met strakke spijkerbroeken en bedrukte T-shirts. Ze dragen alle drie grote oorbellen.

'Knippen?' vraagt er een. 'Heb je een afspraak?'

Ik schud mijn hoofd. Ik heb geen afspraak, ik wil niet knippen.

'Ik wil verven,' zeg ik. 'Ik wil blond worden, wit, zo wit mogelijk.'

'Jij durft,' zegt de donkerste van de drie en ze schuift een stoel aan. 'Kom maar, ga maar zitten. Je wilt dus blond worden.'

'Wit,' zeg ik nog een keer. 'Meer wit dan blond.'

De kapster pakt een rode krul beet en trekt die zacht uit elkaar. 'Wat een mooi haar en wat een mooie kleur, helemaal echt?'

'Zo echt als rood maar echt kan zijn, met gratis sproeten erbij.' Ik wijs op mijn neus.

Ze schieten alle drie in de lach. 'Weet je dat heel veel van onze klanten dit mooie rode haar proberen te krijgen door het te verven? En jij wilt wit.'

Ik knik. Hou je mond, wil ik roepen. Ja, ik wil wit. Zo wit als Christientje. Misschien was ze nu wel helemaal niet wit meer geweest, mijn grote zus. Misschien was ze wel peper en zout geworden en had ze puistjes gekregen en vette haren en was ze vervelend en lelijk. Misschien was ze wel helemaal geen schoonheid meer. Erger nog, misschien was ze wel jaloers geweest op mijn rode krullen.

Die gedachte is helemaal nieuw. Ik voel dat ik er een kleur van krijg. Ergens in mijn oren klinkt de stem van Siem: 'Je bent méér, goedzo Puck, kom maar te voorschijn uit al die doosjes, die fee heeft vele persoonlijkheden, zoals iedereen. In elk van ons schuilt een goed en een kwaad mens. Denk maar niet dat wij geen zwarte kanten hebben, die heeft iedereen.'

Wanneer ik de fee in het toneelstuk ben, bestaat Christientje niet meer. Dan heb ik ook geen onhandige lange benen en een dun lijf. Dan ben ik niet bang om Boris tegen te komen op wie ik al heel lang stiekem verliefd ben. Dan ben ik voor niets en niemand bang meer. Zelfs niet voor mijn moeders vochtige ogen.

De kapster geeft een zetje tegen mijn schouder. 'Hé droomster, ik vraag of je het zeker weet. Uitgroeien duurt lang en je moet voortdurend bijverven. Bleken, wit haar maken is bleken.'

'Heel zeker,' zeg ik.

Het voelt weer alsof ik voor het eerst echt helemaal van mezelf ben. Ik beslis en ik weet dat iedereen het erg zal vinden. Papa, mama, oma, opa, tante Merel, oom Brandje, Harm, mijn vriendinnen. Alleen Boris niet. Dat weet ik zeker, die houdt van alles wat vreemd is.

Ik doe mijn ogen dicht. Ik zweef. Heel langzaam zweef ik een wereld binnen waarin ík zeg wat ik zeggen wil, waarin ík iets ben.

'Heel zeker, ik ben die rode krullen zat.'

Het is mijn haar. Mijn hoofd. Maar vooral mijn wil. Maar dat zeg ik zonder geluid.

Het duurt lang voordat ik klaar ben. Steeds weer moet ik wachten. Elke keer worden weer andere middelen in mijn haar gestopt. Het bijt en prikt en ik ben opeens bang dat ik er heel raar ga uitzien. Als het eindelijk klaar is hangt er een vreemd bosje natte witte krullen om mijn hoofd heen. Ze zijn allemaal nieuwsgierig wanneer mijn haar wordt geföhnd. De kapsters komen om me heen staan en kijken onderzoekend mee in de spiegel. Even is het heel stil.

'Geweldig, een metamorfose,' zegt de oudste.

'Het staat fantastisch, je bent gewoon een ander persoon.'

'Dat is mooi,' zeg ik. 'Dat is precies wat ik wil. Een ander persoon, met ook nog een andere naam.'

'Echt waar?' vraagt de kapster. 'Hoe heet je dan nu?'

'Pauline. In plaats van Puck.'

‘Stoer.’ De kapster knikt. ‘Ik ben benieuwd wat ze er thuis van vinden.’

Ik durf nauwelijks in de spiegel te kijken. Mijn gezicht is totaal anders. Het wit spat me tegemoet. Mijn sproeten knallen op mijn neus en op mijn wangen als rode verfstippen. Ik lijk vijf jaar ouder.

Buiten bel ik Erna op. Ze is thuis, ik hoor harde muziek op de achtergrond.

‘Wat is een metamorfose?’ vraag ik opgewonden. ‘Kom op, ik moet het weten, en snel, ik sta op straat.’

‘Je staat op straat en je moet nu weten wat metamorfose is, leg uit.’

‘Nee, ik leg niets uit.’ Ik druk haar weg en meteen belt Erna terug. ‘Doe niet zo raar, boze kip, luister, metamorfose is een soort gedaanteverwisseling.’

‘O mooi zo, dan klopt het.’

‘Wat klopt er in vredesnaam, doe niet zo geheimzinnig. Luister, ik heb het hier staan... eh... *verandering van mensen in dieren, bomen enzovoort. Reeks van veranderingen die een larve doormaakt om zich tot een volwassen dier te ontwikkelen. Verandering van een orgaan...*’

‘Genoeg!’ roep ik. ‘Als je mijn metamorfose wilt beleven moet je naar Tina komen, ik fiets daar nu heen.’

‘Leg uit.’

‘Ik leg niets uit, kom en zie het wonder.’ Ik moet lachen om mezelf.

Als ik de straat in fiets, komt Erna er net vanaf de andere kant aan.

‘Néé!’ schreeuwt ze opgewonden. ‘Je meent het niet, wat is dit, wat stelt dit voor?’

‘Dit is mijn nieuwe persoonlijkheid, aangenaam, Pauline is

mijn naam. Ik heb nog een rode trui nodig, die hoort hierbij, maar die moet ik lenen van Tina, want ik heb al mijn kleedgeld aan de kapper uitgegeven.'

Erna schiet in een niet meer te stuiten lach. 'Onherkenbaar, echt gewoon onherkenbaar, even voelen,' ze knijpt in mijn arm, 'ben jij het echt?'

Dan gaat de deur open en staart Tina mij aan.

'Ben jij nou helemaal gek geworden?' zegt ze met een haperende stem.

'Helemaal gek,' zeg ik, 'mijn naam is Pauline.'

Ze beginnen allebei te gillen. Tot Tina's moeder de gang in loopt.

'Wat is dit voor lawaai?' Wanneer ze mij ziet, slaat ze geschrokken een hand voor haar mond. 'Wat is dit, wat heb jij gedaan, Puck? Is het spuitverf, uitwasbare verf?'

'Echte verf,' zeg ik plechtig. 'Ik bedoel bleek, ik ben gebleekt. Een metamorfose.' 'Vreselijk Puck, hoe heb je dat kunnen doen, die prachtige rode krullen. Hebben je ouders het al gezien?'

'Dat komt straks.'

Tina redt mij. 'Kom op, we gaan naar boven.'

'Het is weer eens wat anders,' galmt de stem van Erna wanneer we de trap op lopen.

Twee uur later ga ik weer naar buiten met een rode trui aan en ook nog rode laarzen, allebei geleend van Tina, in ruil voor mijn nieuwe spijkerbroek. Erna bleef de hele tijd herhalen hoe geweldig ze het vond, terwijl Tina naar mij keek met een blik vol onbegrip. Het leek wel of ze jaloers was. Ik zag het aan haar ogen. 'Dat je het durft,' zei ze steeds weer.

Ik voelde me leeg. Ik kon opeens niets uitleggen over wat ik heb gedaan. Ze snappen het niet echt en over Christientje wil ik niets meer zeggen, daar is al zoveel over gezegd. Waarom heb ik het gedaan? Ik durf nauwelijks naar huis. Opeens weet ik even niet wat vriendinnen eigenlijk zijn.

Maar dat rare gevoel is direct over wanneer een onbekende jongen mij nafluit. En roept: 'Hé, lekker ding!'

Ik steek de straat over en sta voor mijn eigen huis.

'Ik ben van mezelf,' zeg ik zachtjes. 'Nu ik.'

Ik fluit heel hard.

5

'Dansen, dansen, kom op jongens, gooi je er helemaal in.' Siem zwaait opgewonden met zijn armen en klapt de maat mee.

Ik stik bijna in mijn rode trui. We staan in een lange rij opgesteld in de gymnastiekzaal. Naast mij danst Boris, die mij zo nu en dan even aankijkt alsof hij vraagt: ben je het nou écht?

'De vonken moeten eraf springen, de hele zaal moet straks opgewonden meeklappen, kom op, actie!'

Siem gaat tegenover ons staan. Hij danst voor. Hij draagt een vale spijkerbroek en een glanzend rood overhemd. Ik zie een spier in zijn nek trillen. Zijn lange blonde piekharen zwaaien heen en weer. Hij grijnst naar ons. Het is niet te begrijpen dat Siem ooit een leraar was die gewoon voor de klas stond, hij is zo anders dan alle andere docenten op school. Hij heeft het maar een jaar volgehouden. 'Zo saai, voor de klas staan,' zegt Siem weleens en dan rolt hij met z'n ogen en geeuwt. 'Laat mij maar regisseur zijn en verhalenverteller.' Siem maakt eigen voorstellingen en binnenkort is er een in Amsterdam waar we allemaal naar gaan kijken.

We staan om en om, jongen, meisje. Aan de andere kant van Boris danst Erna, Tina is de laatste van de rij. Degenen die niet meedansen zitten op de banken naar ons te kijken.

'Rug recht, koppen omhoog, zet neer die benen.'

Siem danst heel goed, zijn lange lijf beweegt als een soepele slang door de hele zaal. Hij slaat vrolijk met zijn handen op zijn dijbenen. 'Laat zien dat je een lijf hebt, laat zien wat die muziek met je benen doet.'

Het ritme gaat sneller. De groep op de bank begint mee te klappen. Het zweet druipt over mijn gezicht.

'Dit wordt mijn dood,' roept Erna dramatisch vlak voordat Siem een teken geeft om te stoppen. Er klinkt luid gelach.

'Jij daar.' Siem wijst naar Tina. 'Jij danst onwijs te gek, echt goed, ook spannend en nog een heleboel. Jij krijgt een solo, die moet ik nog schrijven, een muzikaal intermezzo met een wervelende dans van jouw benen. Oké?'

Tina bloost en geeft geen antwoord.

'Oké,' roepen Erna en ik tegelijk.

'Wat kan jij snel dansen, hartstikke goed zeg,' fluistert Boris in mijn oor.

Ik knik. Ik bloos nu ook.

'Ik vind die witte krullen spannend,' zegt hij dan. 'Niet naar Luc luisteren, dat is zo'n sukkel met een slechte smaak.'

'De natuur moet je niet in eigen hand nemen, dat is niet de bedoeling,' heeft Luc, onze mentor, gezegd. 'Die rode krullen waren toch prachtig?'

De klas liet een luid boegeroep horen. 'Creativiteit daar gaat het om,' had Boris geroepen.

'Ik vind het ook spannend, je bent de eerste die het zegt, iedereen vindt het zonde,' fluister ik terug. Boris' gezicht is heel dicht bij het mijne. We kijken elkaar even aan. Ik zie dat zijn linkerooglid een beetje trilt. In zijn hals zit een grote moedervlek.

'Geen gesmoezel daar, ik ben aan het woord,' roept Siem. 'We hebben even pauze, dan gaan we de scène met Laura, Loes en Teun doen, daarna komt de fee oefenen met haar waanzinnige orakelspeech. Over een kwartier gaan we verder.'

'Alle pit in jou lijkt verdubbeld door die witte kop van je,' zegt Siem wanneer ik langs hem loop. 'Dat rode haar was fantastisch, maar die witte kop is echt helemaal te gek.'

Ik loop naast mijn schoenen van trots. Siem legt zijn hand op mijn schouder. 'Waarom heb je het eigenlijk gedaan?'

'Gewoon zomaar. Ik bedoel, het moest gewoon.'

'Aha, het moest, van wie?'

'Van mij.'

'Dan is het goed,' zegt Siem.

'Er hoort een andere naam bij. Pauline. Zoals ik nu ben, heet ik Pauline.'

'Oké.' Siem knikt.

Ik loop naar buiten en heb het gevoel dat iedereen naar mij kijkt. Ik ga rechterop lopen.

'Ik ben van mezelf,' fluister ik in mezelf.

'Vertel vertel,' roepen Tina en Erna tegelijk. 'Kom eens bij ons staan, Pauline. Wat vonden ze er thuis van? We stikken van nieuwsgierigheid, we hebben je gisteravond de hele tijd om de beurt gebeld, maar je telefoon stond uit.'

'Drama,' zeg ik.

'Zalig,' zucht Erna. 'Ik ben gek op drama. *Come on girls*, we redden het net om bij de bakker iets lekkers te halen, die scène van Teun en Loes kan mij gestolen worden.'

'Jullie denken toch niet dat ik die solo ga doen?' Tina kreunt. 'Ik durf niet.'

'Natuurlijk ga jij die solo doen, jij danst het beste van de hele groep, dat ziet iedereen. Je bent gek als je het niet doet.'

'Dan maar gek,' zegt Tina.

6

DAGBOEK

Drama in huize Verhaar. Alleen maar omdat ik mijn haar wit heb gemaakt. Mijn moeder viel bijna flauw toen ze me zag. Eerst kwamen er tranen, daarna woede. Ze schreeuwde zelfs. 'Waarom, waarom, waarom? Hoe durf je.'

Dat was precies het goede. Dat was precies wat ze moest zeggen.

Want ik durf, ja, ik ben namelijk bijna volwassen. De dingen veranderen. Ik krijg kleedgeld. Ik moet opruimen, nadenken, huiswerk maken, toetsen doen, sporten, muziekles. Zelf kiezen, zelf nadenken, dat vinden ze toch zo belangrijk? Maar dan zeker precies zoals zij willen dat ik nadenk.

Alles, alles, alles moet ik altijd doen zoals zij zeggen dat ik het moet doen. Ja ik durf. Ik ben ook Pauline. PAULINE. *De naam van mijn zusje. Dat is een ander mens, dus Pauline is ook een andere persoon dan ik. Dat zullen ze merken. Wit is ze. Wit als de schuimkoppen van de zee. Woest wit. Mooi wit. Gek wit. Deze Pauline.*

Onze Christientje was veelbelovend. Ik, Pauline, beloof dus ook veel te worden. Ik weet alleen nog niet wat voor veel. Gewoon veel. 'Wees blij dat ik ook Pauline ben,' schreeuwde ik. 'Dat wilden jij en pap toch? Twee zusjes, bloedverwantschap. Zoiets heb je zelfs met je zusje als zij dood is. Zelfs als je geen enkele reden hebt om haar belangrijk te vinden omdat je haar nooit hebt gezien. En als ik haar even bijna vergeet, dan zorgen jullie wel dat dat niet gebeurt' Ze zeiden niks dus ik ging door.

'Nou, kijk maar, kijk maar heel goed. Pauline is eigenlijk het derde zusje tussen Christientje en mij in. Een tussenzusje is geboren. Misschien wel door die zelfde namen die jullie van de ene dochter op de andere hebben geplakt. Wat hadden we goed met elkaar kunnen opschieten. Hadden ja, meer niet.'

Mijn moeder staarde naar mij alsof ik een of ander visioen was uit een andere wereld.

Heb ik dit echt allemaal gezegd, of denk ik dat ik het gezegd heb? Ik weet het niet meer. Mijn gedachten zijn net zo ongrijpbaar als mijn benen die soms weglopen zonder mij. Ze zijn nu Paulines benen en ze zetten Paulines voetafdrukken. Ik blijf achter. Maar wat is die ik dan? Wie ben ik zelf?

Ik kan ook wit zijn al ben ik rood! Daarom dus. Ik begon weer te schreeuwen.

'Ik ben van mezelf. Ik kan iets. Ik kan namelijk een ander zijn. Je bent allemaal twee personen, zo kom je op de wereld, of misschien ook wel drie. Of vier.

Kijk maar naar papa, hoe hij doet als er speciaal bezoek is. Dan heeft hij een andere stem, een ander pak, dan drinken we andere wijn. En Harm en ik moeten anders praten en mam, jij bent wel drie keer anders, soms. Ik ben net als de fee, die is ook meer dan één.'

Mijn moeder werd opeens weer zichzelf. Ze huilde niet meer. Ze kwam naar me toe en vroeg wat er in vredesnaam met me aan de hand was.

'Niets,' zei ik. Ze wou me aanraken, op schoot nemen. Over mijn hoofd strelen. Me klein maken.

Maar ik was juist groot. Ik zei dat ik het fantastisch vond om te voelen hoe het is als je wit haar hebt. Hoe moet een zwarte zich voelen als hij zich wit verft, of een blanke als hij zich zwart verft.

'Metamorfose, mam, dat is het, metamorfose.'

Op dat moment kwam mijn vader thuis. Mijn moeder had net haar vochtige treurblik weer opgezet en werd onhandig in haar bewegingen. Zonder een woord te zeggen wees ze op mij. Ik stond rechtop, de rode trui van Tina kriebelde verschrikkelijk. Haar laarzen knalden als rode vlekken op het tapijt.

'Hè... Wat heb jij gedaan?' zei mijn vader. 'Mijn god, Puck, ik schrik gewoon van je, het is net of Christientje er staat.'

Het klonk zo treurig en zo echt, dat nu bij mij de tranen kwamen.

Even was het doodstil. Ik peilde razendsnel de blikken van mijn ouders.

Mijn vader schudde zijn hoofd. Hij was geschrokken. Hij had nooit gezien hoeveel we eigenlijk op elkaar lijken, zei hij. En toen liep hij gauw de gang in, met een zakdoek tegen zijn gezicht.

Ik ging hem achterna. 'Pap, luister, ik ben een soort mengeling,' zei ik. 'Pauline die naam, weet je wel. Die naam hebben we allebei gekregen. Ik ben het allebei. Dat kan.'

Maar ik voelde aan zijn houding dat hij mij niet meer echt zag. Mijn witte haren brachten zijn echte Christientje al helemaal niet meer terug.

Ik rende de trap op. De deur beneden ging dicht en ik hoorde mijn moeder huilen en mijn vader sussend spreken. Voorlopig hadden ze aan elkaar genoeg. Op de overloop ging ik voor het portret van Christientje staan en ik vroeg wat ze ervan vond.

'Mafkees,' zei ze.

Ik hoorde het duidelijk. Het leek net of ze ouder werd, de roofdiertandjes werden vervangen door volwassen tanden. Ze was minder rond en glimlachte lief naar mij.

'Jij hebt lef, mafkees,' zei ze zacht. 'Weet je Pauline, dood zijn is helemaal niet zó erg.' Ik weet niet of ze dat laatste echt heeft gezegd. Ik hoop wel al heel lang dat ze dat zegt.

Ik zette mijn telefoon uit. Ik wilde even helemaal niemand horen. Ik heb minstens een halfuur voor de spiegel gestaan.

Tot Harm mijn kamer binnen denderde.

'Kloppen!' schreeuwde ik, maar hij was er gewoon.

'Drama beneden,' zei hij en zag toen mijn haar. 'Gadverdamme Puck, je lijkt wel een wit ijskonijn.'

'Als je het maar weet, een nieuw gevaar op school.'

'Waarom heb je dat gedaan, krankzinnig, te gek, zeg.'

'Ik schijn op Christientje te lijken,' zei ik. 'Maar ik ben Pauline.'

Harm kreunde en zei dat hij blij was dat hij een jongen is. 'Nou begrijp ik het,' zei hij, 'waarom ze samen zachtjes op de bank zitten te mijmeren, blikken op oneindig. Ik heb er geen zin in, waarom doe je dit eigenlijk? Die kop van jou is toch zo weer overgeverfd?'

Ik weer boos natuurlijk. Die kop wordt voorlopig niet overgeverfd, zei ik.

En toen zei hij gewoon Puck. 'Luister Puck, ik heb een steengoeie cd, luister.'

'Pauline, ik heet Pauline,' zei ik.

En toen zag ik dat Harm anders naar mij keek.

Aan tafel deed iedereen net alsof er niets aan de hand was. Negeren. Gewoon negeren tot het weer overgaat. Dat is een sterk wapen van de familie Verhaar. Ik voelde me een mafkees. En Christientje was opeens écht groot geworden.

Daarna dacht ik aan Boris. Het is veel fijner om aan Boris te denken. Dan komen er allemaal beelden van Afrika. Leeuwen en luipaarden, zebra's en de witte neushoorn. En hele bijzondere geuren en geluiden, daarover vertelt Boris altijd. Als hij vertelt is hij er niet helemaal bij. Hij droomt.

Ik wil ook over iets zo kunnen dromen.

7

Een mens is even goed als hij slecht is. (geknipt door Tina)

Dicht naast elkaar lopen we de weg terug naar school. Ik heb het verhaal over de vorige avond verteld. Tina en Erna vinden allebei dat ik een schitterend plan heb gemaakt: een tweede persoonlijkheid van jezelf laten zien. Die bouw je op uit andere haren, kleren, een stem, een loop, een lach en een mening. En je bent het toch gewoon ook zelf.

'Pauline is stoerder dan Puck. Ze is nergens bang voor en ze zegt gewoon wat ze denkt.'

'Lekker.' Erna knikt. 'Jij kunt voorlopig vooruit. Als je maar weet dat zo iemand ook andere reacties krijgt.'

'Wanneer word je weer gewoon Puck?' vraagt Tina plagend. 'Misschien vinden we die wel leuker.'

'Ik wissel af,' zeg ik vastbesloten.

'Eigenlijk is het leven heel complex,' zucht Erna. 'Kijk naar mij, wie heeft er nou een moeder die gewoon wegloopt met een of andere Italiaan en mij, haar kind, achterlaat bij haar ex? En dan elke maand één keer opbelt om te vragen hoe het gaat? Wie heeft er een vader die net doet alsof deze situatie gewoon is? Ik ga er ook eens over nadenken wie ik mogelijk nog meer ben. Een zigeunerkind misschien, zo een met een gitaar bij zich waar ze al bedelend op speelt om een beetje geld te verdienen. Trouwens, ik heb het jullie nog niet verteld, maar mijn interessante Italiaanse mama schijnt naar Nederland te komen om de musical te zien en mijn saxofoonsolo. "Hoogtepunten," gilde ze door de telefoon, Ze houdt van hoogtepunten. Voor mij hoeft ze niet te komen. Ik hou namelijk van dieptepunten.'

'Voor ons wel, we willen haar eindelijk wel eens zien, ze zegt altijd dat ze komt, maar ze komt nooit als wij er ook zijn,' zegt Tina beslist.

'Zo is dat, ze zal nu ook wel niet komen.' Erna zucht diep. 'Ik denk dat bijna elk verlangen mooier is dan de werkelijkheid.'

'Doe niet zo belachelijk.' Ik knijp in Erna's arm. 'Elk verlangen is er om vervuld te worden.'

'Pauline Verhaar, aantreden, je moet kleren passen,' schalt de stem van Siem door de gang.

'Hij heeft het over jou,' grinnikt Tina, hoe weet hij van die naam? Schiet op, rennen.'

'Siem weet alles,' roep ik baldadig.

'Ik word niet goed van die Siem, hij denkt dat hij leuk is. Mensen die denken dat ze leuk zijn, zijn het niet.' Erna's stem klinkt boos.

'Maar Siem is echt leuk,' zegt Tina. 'Jij vindt altijd iets anders, gewoon omdat je iets anders wil vinden, dat is pas leuk.'

'Rennen!' roep ik weer. 'Tina heeft gelijk, Siem is echt leuk.'

'Stelletje ouwehoeren zijn jullie. Denk maar niet dat ik ga rennen,' bromt Erna.

Ik ben de fee. Ik ben Puck en ik ben Pauline. Ik ben de boze fee in een toneelstuk en ik moet een zo lang mogelijke orakelmonoloog houden van aan elkaar gebreide woorden.

'Bezweren en lonken,' zegt Siem.

Zijn ogen zijn dicht bij de mijne. Hij kijkt dwars door me heen. Hij weet wat ik denk. Niemand van alle leraren ooit heeft me ooit zo aangekeken.

'Je kan het,' fluistert hij, 'je kan het.'

Siem geeft Erna een teken om te spelen.

Mijn mond is een waterval van woorden. Ik voel de witte

haren op mijn hoofd kriebelen onder een rare rieten hoed die ik als fee moet dragen.

'*Het welgelegen Smalie teradie verianden, eventrytengerer, bali smalsa. We verdeden kunst en knauden,*' begin ik. '*Seewater stormt in die lagen van wadeereenden, fluiteenden, mariekols en slangveters. Smalsie en daarbie wij dunnen, aanleg, tik seg ik fast nie kom nie. Samlasie, entertanie en draden spaghettie en bloedworsten, bloedworsten. Tekeningen sa guttie en dradie en tresko laget en mangfoldige trambanen en spleten, spelonken en volyanten en blyanten. O nee, nie doen nie, nie doen nie. Oh ja, men ble lange stil. Smoelkie smoezelkie. Given die kwater en spreek spreek. O, lamstraal gadverdarriedorieom.*'

Iedereen om me heen lacht. Boris ligt dubbelgeklapt op de grond met de handen op zijn zere buik. Ik sta kaarsrecht en ga gewoon door. De fontein van woorden spuit niet alleen uit mijn mond maar ook uit mijn oren, uit mijn hele hoofd.

Ik zie hoe Siems vingers een bepaald ritme meetrommelen. Zijn ogen zijn strak op mij gericht alsof hij mij betovert. De monden van Tina en Erna bewegen mee. Ik zie de hele klas ademloos luisteren naar wat er uit mijn mond komt.

'*Het is een haas, een haas met een hoofdletter, haasten jullie je voor de haas, zo groot als een reuzenschilpad, hij komt, komen kwam gekomen, weg verloren verliezen verloren gegaan, verdwenen ondergesneeuwd, precies, nee het is een ijskonijn, een ijskonijn met oren zo groot als die van juffrouw Slabiet. Een verglaasd ijskonijn met barnstenen ogen en een staart van kamelenhaar. Hij kijkt je recht aan en zegt. Slamlie, dwarspisser van me, ga, ga nu, ga ogenblikkelijk.*'

'Stop!' roept Siem.

Ik zwijg geschrokken en keer langzaam terug op aarde. Siem knijpt even in mijn schouder. Het voelt goedkeurend.

'Dansen, de hele groep, dwars over het toneel, muziek, muziek harder. We nemen langzaam de fee op in de kring, we dansen dicht om haar heen, tot iemand haar optilt en weg-draagt. Gooi je hoed weg, Pauline, smijt 'm de ruimte in.'

Het is Boris die mij optilt en wegdraagt. Ik ben een veertje, mijn hoed gaat met een grote zwaai over het toneel.

'Nog een keer omkijken en zwaaien,' gebaart Siem. 'Geheimzinnig zwaaien, een fee is altijd mysterieus.'

Boris draagt mij weg van de groep en zet mij neer in een hoek. Hij hijgt een beetje. Opeens ben ik gewoon weer terug in de gymnastiekzaal.

'Prima scène,' zegt Siem. 'Uitstekend, Pauline.'

'Waarom zegt hij Pauline?' vraagt Boris.

'Omdat ik met witte haren Pauline ben.'

Boris knikt. 'Wat ben jij trouwens licht. Ik kan je nog wel hoger tillen.'

'Prima,' zegt Siem. 'Jij tilt haar dan voortaan.'

Boris en ik kijken elkaar even aan. De groep danst verder.

'Tina naar voren, improviseren Tina, de muziek gaat harder.'

Tina doet haar ogen dicht, ze danst, alles beweegt aan haar. Haar lange haren vliegen om haar hoofd, ze draait het hele toneel over alsof ze nooit anders doet. Er klinkt een keihard applaus.

Ik zit uitgeput op de bank. Tina ploft naast mij neer en knijpt in mijn arm. 'Echt hartstikke goed, Puck, waar haal je al die woorden vandaan?'

'Zomaar,' zeg ik, 'het komt door Pauline, Puck kan het niet.'

'Gek,' zegt Tina, 'je bent toch eigenlijk gewoon Puck.'

'Nu niet.'

'Eng.'

'Helemaal niet eng. En jij was hartstikke goed, ik wou dat ik dat kon, zo dansen, naast jou ben ik een hark.'

'Stel je niet aan,' zegt Tina. 'Het voelde belachelijk, ik kan veel beter.'

'Ook goed, dan kan je nog beter, krijg je nog meer applaus, hoorde je wat Siem zei?' zegt Erna.

'Nee.'

'Die moet ogenblikkelijk naar een dansschool.'

'Zei hij dat echt?'

'Echt.'

'Moet hij tegen mijn ouders zeggen.'

'Daar zorg ik wel voor,' zegt Erna.

Tina zegt niets meer en bijt op haar lip.

Boris loopt naar de piano. Hij moet samen met Erna oefenen.

Ik kijk naar zijn handen die heel snel over de pianotoetsen glijden. Die handen hebben mij opgepakt en gedragen, helemaal naar de hoek van het lokaal. Elke keer als we die scène moeten oefenen zal hij mij weer dragen.

Ik vind het fijn om naar zijn handen te kijken. Boris is maar één jaar ouder dan de anderen maar het lijkt veel meer. Hij zit nog maar een halfjaar bij ons op school. Daarvoor woonde hij heel lang in Afrika en in Amerika. Toen hij voor het eerst op school kwam vroeg de mentor hoe het was om in zoveel verschillende landen gewoond te hebben.

'Gewoon,' zei Boris, 'de hele wereld is toch van ons. Je kan overal wonen. Maar Afrika is fantastisch, daar is iets wat nergens anders is, iets geheimzinnigs. Later ga ik terug. Ik wil er gaan werken, daar is alles nog nodig.'

De groep was stil geworden en iedereen had naar hem gekeken. Het was Erna geweest die zich had omgedraaid en heel doordringend had gevraagd: 'Maar hoor je dan wel ergens thuis, als je overal kan wonen?'

'Ik hoor nergens thuis... Ik bedoel...' Het was even heel stil geworden. 'Ja, precies wat ik zeg, ik hoor eigenlijk nergens thuis. Ik kan overal wonen.'

'Wat een opluchting,' zei Erna en iedereen schoot in de lach.

Boris' vingers gaan heel snel over de toetsen. Hij heeft wel eens verteld dat hij pianist of dirigent wil worden. In mijn buik draait iets. Het is een misselijkmakend en ook fijn gevoel.

Soms wordt er iets in beweging gezet. Een mechaniekje, van blijdschap, van boosheid, van verliefdheid, van verdriet. Het kan allemaal.

'We doen nog één keer de tapdans,' zegt Siem. 'Kom op. Tina, Pauline, neem je plaats in.'

De boze fee kan goed dansen maar ook de goede fee kan goed dansen. Ik heb nog nooit zo'n lenig lijf gehad. Mijn benen glijden over de vloer. Ik kijk naar de piano, naar Boris, ik kijk naar Siem, ik kijk naar buiten.

Het gezicht van Christientje gluurt door de hoge ramen. Ze lacht, ze zwaait. 'Mafkees,' zegt ze met getuite lippen.

Ik glij uit, ik smak met mijn hoofd tegen de bank en blijf gewoon liggen.

Siem knielt naast mij neer en legt een hand op mijn hoofd.

'Wat gebeurde er, heb je pijn?'

'Ze keek door het raam,' fluister ik.

'Wie, wat?' Siem kijkt omhoog.

'Niemand,' zeg ik snel.

8

DAGBOEK

Er gebeurt iets. Ik ben echt iemand anders aan het worden. Daardoor wordt Christientje ook een ander. Zij volgt mij. Ze verschijnt gewoon overal. Door mijn witte haar is zij in mij gekropen, of in ieder geval voor de helft. De ene kant is zij, de andere ben ik.

Ik kijk ook anders naar mijn vader en moeder.

Naar Boris.

Ik durf verliefd te zijn. Ik durf gekke dingen te zeggen. Ik durf tegen mijn moeder te zeggen dat ik van haar hou en dat ik samen een pyjamadag wil. Wij samen.

'Dat kan,' zei mijn moeder. 'Zondag, dan gaan Harm en je vader sporten. Wij blijven thuis. Wij ontbijten samen in het grote bed. Wij gaan de hele dag zomaar rondscharrelen, wij samen...' Ze struikelde over haar woorden.

Ze zei dat ik opeens zo groot word. Ze had het dus gezien. Iets klopte.

Tegelijkertijd lijkt alles verschoven. Christientje heeft haar roofdiertandjes niet meer teruggekregen op de foto in de gang. Ze begint ook iedere keer te praten wanneer ik langs de foto loop. Ik leer haar stem steeds beter kennen. Ze zegt vaak gekke dingen. Vrolijke dingen, durfdingen. Opeens vind ik haar eng.

'Je bent toch dood,' zeg ik dan. 'Als je dood bent kan je toch niet praten?'

'Wat is dood?' zegt ze.' Dat hebben we ook maar verzonnen, dat dood zijn. Jullie snappen toch niet echt wat het is. Ik alleen wel.'

Soms ben ik bang. Bang voor haar. Bang voor alles.

9

Dood is als niemand meer aan je denkt. (geknipt door Tina)

Ik fiets naar oom Brandje. Hij is geen echte oom. Oom Brandje is al heel lang een vriend van mijn moeder, en hij is een huisvriend van ons allemaal geworden. Hij woont alleen en werkt thuis. Oom Brandje is vioolbouwer. Ik vind het fijn om naar hem te kijken wanneer hij bezig is.

Zijn werkkamer ligt aan de voorkant van de gracht en als het maar even een beetje koud is branden er grote houtblokken in de open haard. 'Om mij heen moet vuur zijn; echt vuur of het vuur van de zon,' zegt hij altijd. Daarom zijn we hem Brandje gaan noemen. Eigenlijk heet hij Bertus, maar dat vinden we een stomme naam.

'Maak jij maar chocolademelk,' zegt hij wanneer hij de deur heeft opengedaan. 'Melk in de ijskast, chocoladepoeder in de keukenkast, je weet alles te vinden.'

Over mijn haar zegt hij niets.

In de keuken is het een rotzooi; het hele aanrecht staat vol vieze afwas. De theedoeken liggen op de grond en op het gasstel staat een pan met hutspot.

Ik spoel twee bekers schoon, verwarm melk in een pannetje en klop de poeder erdoorheen. In een van de vele trommels vind ik ontbijtkoek.

'Het is moederdag,' zeg ik.

'Nou en, commerciële onzin toch, goed voor de middenstand.'

'Flauw,' zeg ik. 'Het is leuk als je iets krijgt van je kinderen. Bij ons is het niet leuk want het gaat altijd weer over Christientje.'

'Heb jij je moeder iets gegeven?'

'Ja, samen met Harm, heel mooie bloemen en we hebben een ontbijt voor haar gemaakt. Maar ze zuchtte de hele tijd en keek naar de foto van Christientje op haar bureau. "Ook van haar, die bloemen," hebben we toen maar gezegd. Ze begon weer eens te huilen en toen was het eigenlijk alweer verpest.'

'Dat had ze gewoon niet moeten doen,' zegt oom Brandje. 'Een kind verliezen komt bij alles weer terug.'

'Maar ze deed het mooi wel.'

'Gewoon moeilijk, er is veel moeilijk in de wereld.'

'Ik heb geen zin in moeilijk.'

'Ik ook niet.' Oom Brandje zucht overdreven.

'Mm, ben jij eigenlijk nooit verliefd geweest?' Ik ben nu Pauline en die vraagt gewoon alles. 'Waarom ben je nooit getrouwd?'

'Omdat ik daar helemaal nooit zin in kreeg,' bromt oom Brandje. 'Dat komt misschien ook wel door je moeder. Ik hou het meest van vrouwen die vioolspelen, dat vind ik zo'n mooi gezicht. Als ze goed spelen, tenminste. Maak je geen zorgen, Puck, ik ben wel verliefd geweest hoor, mogelijk wel twintig keer te veel. Wat een onrust.'

'Ik heet nu Pauline.'

'Waarom?'

'Zomaar,' lieg ik.

Oom Brandje slurpt van zijn chocolademelk en kijkt mij over zijn halve bril aan. Zijn ogen zijn heel groot en blauw. Hij grinnikt.

'Heb je soms bleekwater over je hoofd gegooid?'

'Doe niet zo flauw. Weet je wat subpersoonlijkheden zijn? Dat blonde in mij, dat is Pauline, en de rode krullen zijn Puck. Die twee hebben een andere manier van doen en ze wonen in hetzelfde lichaam.'

'Toe maar,' zegt oom Brandje, 'en je bent ook nog verliefd,

tenminste dat denk ik, waarom wil je anders opeens weten of ik verliefd ben geweest. Trouwens, ik vermoed dat je ouders dat witte haar afschuwelijk vinden.'

'Van Christientje niet, dat haar vinden ze mooi, prachtig zelfs, maar van mij vinden ze het lelijk. Hoe weet je dat allemaal?'

'Ik weet het niet, ik ruik het gewoon. Ik ruik ook dat jij verliefd bent en daarom iets wil weten.'

Mijn wangen gloeien. Maar Pauline is niet verlegen. Ze vindt het heel gewoon om verliefd te zijn.

'Ja,' zeg ik, 'doodnormaal toch, op Boris, die zit bij mij in de klas.'

'Bingo dus,' zegt oom Brandje. 'Is die jongen verliefd op Puck of op Pauline?' Hij buldert van het lachen en aait met zijn hand door mijn witte krullen. 'Je moet niet al te veel verwarring zaaien, Puck Pauline, de wereld is al eigenaardig genoeg.'

'Kun je verliefd zijn als je oud bent?'

Oom Brandje knikt. 'Kan heel goed.'

'Ben jij dat dan?'

Pauline is sterk. Ze vraagt gewoon door. Ze is totaal niet onhandig en niet verlegen zoals Puck. Ze praat ook harder.

'Nou nee, dat is lang geleden.'

'Hoe lang?'

'Nog voordat jij geboren werd.'

'Dertien jaar niet verliefd!' Ik schreeuw bijna.

'Nou ja, een beetje dan.'

'Op wie?'

'Op jouw moeder vroeger. Niet een beetje verliefd, waanzinnig verliefd. Maar ze zag mij niet staan, ze zag alleen je vader. Dat is allemaal héél lang geleden. Toen heb ik de liefde maar omgezet in vriendschap. Zo verliefd als op jouw moeder ben ik nooit meer op iemand geweest. Misschien ben ik daarom ook nooit getrouwd.'

‘Op mijn móéder, meen je dat nou?’

Pauline pakt oom Brandje stevig vast, ze schudt hem heen en weer en ze lacht zoals Christientje dat doet.

‘Mafkees,’ zeg ik, ‘oom Brandje, je bent een mafkees. Op mijn moeder. Ben je nou helemaal gek geworden.’

‘Waanzinnig verliefd, toen, vroeger. Nu is alles gewoon geworden, nu heet het vriendschap en dat is heel belangrijk voor ons allebei,’ zegt oom Brandje peinzend. ‘Nou ja, niet verklappen hoor, ik ben nog steeds een heel klein beetje onschuldig verliefd op haar.’

‘Belachelijk,’ zeg ik, ‘op mijn moeder.’

‘Precies, op je moeder. Zij is een fascinerende, spannende vrouw. Ze deed vroeger dingen die geen vrouw deed, zo ondernemend. Hoe die kon zeilen! Ze trotseerde alle gevaren. Zo, nou jij weer. Kan die Boris van jou daar tegenop?’

‘Ssst, ik wil eigenlijk niet dat je het weet en zeker niet dat je erover praat.’

‘Precies, ik wil ook niet dat jij het weet, wij hebben dus allebei een geheim.’

‘Ik heb er nog een,’ fluister ik. ‘Behalve Puck en Pauline zou ik soms ook nog een jongen willen zijn. Ik bedoel dat ik ook een persoon ben die ergens een jongen is. Denk jij dat dat kan? Volgens Erna zijn we allemaal ook nog half jongen en half meisje. Mannelijke en vrouwelijke kanten noemt ze dat. Geloof jij daarin? Rover, hoe klinkt Rover? Zo zou ik dan willen heten.’

‘Jij wilt nu echt te veel.’ Oom Brandje zucht. ‘Rover, hoe verzin je het. Maar over jongens kan ik je alles vertellen. Je weet al heel veel over wat ik allemaal deed, vroeger.’

‘Maar nog niet van toen je bijna dertien was, net als ik, vertel.’

Ik ben Pauline. Ik ben niet zoals Puck, die zou nu op de bank kruipen onder een dekentje en alleen maar luisteren.

Pauline niet. Die zit gewoon op een stoel en vraagt door. Die durft alles.

'Wil jij dat echt weten?' vraagt oom Brandje.

'Ik wil alles weten,' hoor ik Pauline zeggen.

Dan begint oom Brandje te vertellen. Tot het donker wordt en hij mij naar huis stuurt.

'Ssst, er is een geheim,' zeggen we nog een keer als ik mijn jas aantrek.

Voorlopig wil ik geen jongen zijn.

10

DAGBOEK

De datum nadert weer. 17 juni, de dag dat Christientje is geboren.

Herdenking. Allemaal naar het graf. Oma en opa huilend aan de telefoon. Een mooi boeketje bij Christientjes portret. De fotoalbums van Christientje op de tafel. We kijken ze dan voor de zoveelste keer door. Huilogen van mama, zenuwachtig knipperende ogen van papa. Harm die zwijgend aan het ontbijt zit omdat hij niet weet wat hij moet zeggen en altijd probeert een smoes te verzinnen om niet mee te hoeven gaan. Het lukt nooit. Het gaat altijd hetzelfde.

'Hier sta ik op,' zegt papa elk jaar. En dan kijkt hij ons lang en doordringend aan en dan zegt hij: 'Ik vraag niet veel van jullie, maar hier sta ik op. Wij hebben ons eerste kind, jullie oudste zus, te eren, wij met z'n vieren.'

Dus gaan we ieder jaar na schooltijd met z'n vieren naar het graf. Altijd weer, elk jaar, zo lang ik als mij herinner. Twee boeketten bloemen, één van mama en papa, één van Harm en mij. We parkeren de auto en lopen zonder iets te zeggen over de begraafplaats. Een boeket van oom Koos, de broer van mama, ligt altijd al bij het graf wanneer wij komen.

Het is heel gek. Altijd kwetteren de vogels, er zijn veel uitbundige bloemen, er hangt een zware lome geur. Het is altijd mooi weer op die dag. En altijd is er iets anders waar ik eigenlijk naar toe wil.

Ik heb een keer aan Tina's moeder gevraagd hoelang dat eigenlijk duurt, rouw. Ze begon net zo te zuchten als mijn moeder altijd doet. 'Een kind verliezen is rouw voor het hele leven,' zo zei ze het. En: 'Het blijft altijd bij je, een schaduw waar je mee leeft.'

Wat ik moeilijk vind: worden Harm en ik dan nooit belangrijker?

Ze zei dat het niet om belangrijker gaat, maar om die schaduw. Het verlies gaat erbij horen, je moet het een plaats geven. Christientje blijft gewoon bestaan.

Tegen haar durfde ik het wel te zeggen, dat het wel een heel grote plaats heeft, dat verlies. Het is een soort reuzeninktvis met tentakels die je kunnen vastgrijpen, vermorzelen.

Dat begreep ze gelukkig. 'Ja, voor zusjes en broertjes die erna komen kan het moeilijk zijn. Maar jullie ouders zijn zo gek op jullie, dat weet je toch. Jullie hebben zo'n goed en vrolijk gezin met elkaar.'

Toen had ik opeens geen zin meer.

Ik zei dat ze gelijk had. Dat mijn moeder de liefste moeder van de wereld was en dat ik met mijn vader overal over kon praten en dat hij onwijs stoer was. Ik loog alles aan elkaar. De moeder van Tina begon te lachen. 'Zie je nou wel,' zei ze, 'het zit helemaal goed daar bij jullie. Als je eens wist, Puck, hoe blij je ouders waren toen jij geboren werd.'

'Christientje twee,' flapte ik eruit.

Ze zei dat ik gewoon Puck was, toen meteen al. En dat ik geen verkeerde dingen moest denken, want daar doe ik mezelf en mijn ouders veel verdriet mee!

Stom wijf, ik doe mijn ouders geen verdriet. Zij doen mij verdriet door hoe ze vaak doen. En Christientje doet ons verdriet door zo stom in die vijver te lopen. En oom Koos doet ons verdriet door zo'n achterlijke vijver te hebben. En al die stomme mensen op oom Koos zijn verjaardag doen ons verdriet. Zij hebben niet gezien dat er een klein kind bij de rand van de vijver was. Christientje kon er niets aan doen. Ze was klein, ze viel gewoon in die stomme vijver en iedereen zat erbij in de tuin van oom Koos. Het gebeurde gewoon en toen ze haar misten was ze al dood.

Die rotvijver, die rotvijver, die rotvijver.

Ik was nog heel klein toen ik mijn moeder hoorde gillen. Ik rende naar haar toe. Ik hield haar been vast, trok aan haar rok, maar ze zag me niet, ze schreeuwde gewoon door. Papa kwam uit zijn ka-

mer gerend, hij schudde mama heen en weer, hij schreeuwde tegen haar dat ze moest ophouden. Dat ik er stond. 'Puck heeft je nodig, Puck bestaat, Puck leeft wel, en ook Harm,' schreeuwde mijn vader. Hij pakte haar bij de schouders en schudde haar door elkaar. Ik herinner me het gillen van mijn moeder. Hoog en snerpend. Ik rende de kamer uit, de voordeur uit, zo naar het huis van Tina aan de overkant. Ik wist dat ik niet alleen mocht oversteken maar ik deed het gewoon. Met de handen op mijn oren rende ik hun tuin in. Er was niemand.

Ik bonkte op de ramen. Ik rende de tuin weer uit, de straat door, nog een straat door, een heel eind verder, een plein over. Daar ergens woonden mijn opa en oma. Ik kende de bel, het bordje met de namen, de groene voordeur, het nummer. Een 3 en nog een 3, ik had ze heel vaak met oma nagetekend. Nummer 33, maar ik was in een verkeerde straat. Het was drie straten verder. Ik liep maar door. Nergens was een bordje met de namen, nergens nummer 33, nergens een groene deur.

Ik ging op straat zitten huilen. Een politieagent vond mij.

Toen ik weer thuis was lag mijn moeder in een ziekenhuis. Een ziekenhuis voor verdriet, noemde mijn vader het. 'Verdriet is een speciale pijn, die de dokters daar beter kunnen maken.'

De dag na mijn weglopen werd ik vijf jaar. Ik had Christientjes leeftijd overleefd. Mijn verjaardag werd niet gevierd.

Ik weet nu dat dokters het nooit kunnen beter maken. Morgen zou Christientje zeventien jaar geworden zijn.

11

Ik ben alleen thuis. Morgen mogen we naar de voorstelling van Siem in de stadsschouwburg. Morgen is het ook Christientjesdag, de 17e juni. Ik heb al een maand geleden verteld dat we naar de voorstelling mochten, de hele groep. 'Het wordt maar één dag in Amsterdam gespeeld. Goed?'

'Natuurlijk kind,' hebben ze gezegd. 'Wat leuk dat die Siem in Amsterdam speelt.'

'Het is wel op 17 juni. Maar 's avonds pas, om acht uur. Ik ga mee en ik eet thuis. Ik...'

'Op 17 juni, precies op 17 juni?' Mijn moeder leek wel door een giftig beest gestoken.

'Op 17 juni gaat het leven ook gewoon door,' zei Harm. 'Ook al is het Christientjes verjaardag.' Hij tikte zijn ei tegen mijn hoofd. 'Dus Puck, jammer maar waar, jij gaat gewoon naar die spannende pief van een Siem kijken die de hele onderbouw in de ban heeft, in ieder geval jou. Goede fee Verhaar met witte schuimkop, ik heb je nog nooit zo hard bezig gezien. En ik ga gewoon 's avonds naar mijn voetbaltraining.'

Weer die zware stilte. Mijn vader beet hard in een appel en ook in zijn lip, waarop hij begon te vloeken.

'Wat doe je nou, Edwin,' zei mijn moeder.

'Hij vloekt,' zeiden Harm en ik tegelijk, 'en niet zo'n beetje ook.'

'En wij mogen dat niet, dat is niet eerlijk,' voegde ik er nog aan toe. Harm en ik schoten in de lach. Zo'n misplaatste lach die vreemd bleef hangen.

'Natuurlijk gaan jullie gewoon 's avonds je gang,' bromde papa nauwelijks hoorbaar.

'Gewoon, gewoon, gewoon wordt het nooit. Nooit,' zei

mama. Haar ogen doorboorden ons venijnig; eerst papa, toen Harm en toen mij.

'Jullie laten me in de steek. Jullie vergeten Christientje. Jullie zijn ongevoelig geworden.'

Haar ogen vulden zich met tranen. Harm gaf een zet tegen zijn beker melk, wij stormden van tafel en sloegen elkaar met keukendoeken om de oren.

'Verliefde kip,' riep Harm uitgelaten.

'Stomme voetballer,' schreeuwde ik.

Harm depte met een theedoek de melk van tafel. Papa had zijn armen om mama heen geslagen, mama snikte geluidloos. Ze keken zwijgend toe hoe Harm en ik de ontbijtboel in de afwasmachine smeten. Wij maakten veel geluid, maar het was eigenlijk ook heel stil.

'Over twee nachten is 17 juni weer voorbij,' fluisterde Harm in mijn oor.

'Op naar 3 juli, de dag van de vijver van oom Koos,' fluisterde ik terug.

'De dag van de verdronkene,' zei Harm gedurfd hardop.

We stompten elkaar en liepen de kamer uit zonder te groeten.

Het is nu avond. Ik heb heel lang voor de spiegel gestaan en al mijn kleren gepast. Ik heb op mijn donder gekregen dat ik mijn nieuwe spijkerbroek heb geruild voor een oude trui van Tina.

'En haar laarzen erbij,' heb ik gezegd. 'Bovendien, we hebben het duidelijk afgesproken, ik mocht voortaan zelf beslissen over mijn kleren, daar hoort ook ruilen bij.'

'Jullie zorgen er altijd voor dat je gelijk krijgt,' zuchtte mijn moeder. Maar ze omhelsde me en zei zacht: 'Je bent gewoon mijn onweerstaanbare Puck.'

Ik voelde de zoen de hele dag, ze meende het echt.

Rood staat goed bij wit. Groen niet, bruin ook niet. Al mijn groene en bruine kleren moeten weg. Zwart staat goed bij wit en paars en roze en blauw. Ik moet allemaal nieuwe kleren bij mijn nieuwe hoofd. Misschien wil Erna ook ruilen.

Ik druk mijn gezicht tegen de spiegel en kijk naar mezelf. Zo dichtbij was Boris. Hij keek heel erg goed naar mij. Zou hij dat beginnende puistje hebben gezien op mijn kin? Zou hij dat ene kuiltje hebben gezien als ik lach? Heb ik eigenlijk gelachen? Waar kijken jongens naar als ze naar meisjes kijken?

'Jongens ruiken,' zegt Erna altijd. 'Als de geur bevalt gaan ze er als een hond opaf.'

Ik ruik Boris. Zijn geur is heel speciaal, als een soort leer, hij ruikt naar hooi, naar olijfzeep. Of verbeeld ik me dat maar? Ik trek mijn trui uit en kijk naar mijn kanten beha. Hij is bijna fluorescerend gifgroen en ik heb een slipje gekocht in dezelfde kleur. Ik dans op de maat van de muziek in mijn sexy ondergoed. Boris tilt mij op en ik sla mijn armen om zijn hals, ik ruik zijn huid. Ik voel zijn lange blonde haren tegen mijn gezicht en ik zie de grote moedervlek. Ik wil hem aanraken.

Dan hoor ik gillen. Het is mijn moeder. Mijn hart begint als een gek te kloppen. Ik doe vliegensvlug mijn kleren aan en sluip de trap af, de overloop over.

'Ze zijn weer bezig,' snauw ik tegen Christientjes foto. 'Je bent weer bijna jarig. Als je dood bent, ben je nooit meer jarig, je bent maar vier keer jarig geweest. Dat was het. Toen donderde je in die vijver.'

'Mafkees,' zegt Christientje. 'Luister, luister nou, er gaat wat veranderen, ik word niet voor niets zeventien, ik vlieg een beetje uit, dat gebeurt gewoon.'

'Vertel mij wat,' zeg ik.

Christientje glimlacht. 'Vooral als je verliefd bent, haha, moet je die verliefde kop van jou zien.'

'Hoe zie je dat?'

'Ik ruik het.'

'Echt, stinkt het?'

'Het ruikt naar meidoorn,' zegt Christientje, 'dat stinkt een beetje en ruikt ook heel lekker.'

'Je kan geeneens ruiken, je bent dood.'

'Doden kunnen veel meer dan je denkt.'

'Pfff.'

'Als je weer gaat oefenen moet je je witte trui aan doen. Die staat sexy.'

'Ik? Sexy?'

'Hartstikke tof, je droeg die trui eergisteren.'

'Kom je weer kijken als ik de orakelspeech moet houden?'

'Natuurlijk.'

'Denk je dat Boris Tina leuker vindt omdat zij zo goed danst?'

'Nee, Boris vindt jou leuk, ik heb het zelf gezien. Hij zit de hele tijd naar je te kijken.'

'Maar Tina is heel populair.'

'Ik heb gelijk, Puck, ik ben ouder dan jij.'

'Nou en, als je ouder bent hoef je nog geen gelijk te hebben.'

Opeens heeft Christientje haar melktanden weer terug. Ze lacht als een dom schaap.

'Je bedondert de boel, klein kreng.' Ik steek mijn tong uit.

Mijn moeder slaat met de deur. Ik kruip vlug op het kleine stukje overloop tussen de trappen in. Ik zit in elkaar gedoken onder mijn eigen foto in het donker.

'Het is verraad,' hoor ik mijn moeder roepen. 'Ik pik dit niet, Edwin. We hebben een traditie, altijd gaan we na schooltijd naar het graf en altijd neem jij een vrije dag.'

'Inderdaad.' Mijn vader heeft weer zijn droevige hondengezicht.

'Je kunt me niet alleen laten.'
'Ik laat je niet alleen.'
'Je laat me wel alleen.'
'Ik ben vroeg in de middag terug, we gaan met z'n vieren naar het graf. Ik ben de hele avond thuis. We gaan samen de boeken van Christientje bekijken.'
'Ik pik het niet. Je vindt Christientje niet belangrijk meer.'
'Hou je in, Wanda, denk aan de kinderen. Luister nou. Ik ben zo weer terug. Die afspraak is ongelooflijk belangrijk voor ons hele gezin, voor de andere kinderen, voor Puck en Harm, hoor je me?'
'Nee!' schreeuwt mijn moeder. 'Ik hoor je niet.'
Ik duik in elkaar onder mijn foto. 'Geen ruzie, geen ruzie,' prevel ik. 'Lieve god, als je bestaat, misschien besta je toch wel, laat ze ophouden met ruziën.'
'Laat ze toch, er verandert iets,' hoor ik Christientje fluisteren. 'Ik word niet voor niets zeventien, dan sla je je vleugels uit, ook als je dood bent. Hoor je Puck, ook als je dood bent. Puck, pssst, Puck, ik zei je toch dat het helemaal niet zo erg is om dood te zijn. Het is fijn hier, ik...'
Mijn hart springt bijna uit mijn lijf. Mijn linkerbeen trilt. Ik voel zweet boven mijn mond.
'Het wordt tijd dat alles een beetje gewoner wordt, voor Harm, voor Puck,' hoor ik mijn vader zeggen. Zijn stem is kalm en een beetje streng. Ik voel mij opeens belangrijker worden door die toon.
De deur wordt dicht gesmeten. Ik blijf luisteren. Ik hoop dat ze nu aan het zoenen zijn. Daarna gaan ze vrijen, daarna gaat mijn moeder weer huilen. Ik ken alle geluiden. Ik sta op en sluip de tweede trap op.
'Je bent van jezelf, gewoon van jezelf,' klinkt de stem van Christientje heel helder. 'Als je morgen weer naar bed gaat is het voorbij, dan ben ik zeventien.'

Ik staar lang uit het raam. Ik hoor hoe mijn ouders naar de slaapkamer gaan. Ik hoor hoe Harm harde muziek opzet. Ik probeer me voor te stellen hoe Boris bezig is in zijn eigen huis. Ik val uiteindelijk in slaap met mijn kleren nog aan.

12

Heel vroeg ben ik wakker. Ik heb van Boris en Siem gedroomd. Ze waren samen aan het dansen. Boris vertelde over Afrika en over het oerwoud. Over leeuwen en luipaarden, over krokodillen en over de witte neushoorns. 'Ik ga er later met Puck heen,' zei hij.

'Of met Pauline?' vroeg Siem. Ze begonnen allebei heel hard te lachen en te rennen.

'Puck ruikt naar meidoorn,' zei Boris. 'Ze heeft wit zacht krullend haar en heel mooie tanden, maar ze wil vast niet mee naar Afrika.'

'O jawel, ik weet zeker van wel,' zei Siem, 'maar ik ga ook mee. Je denkt toch niet dat ik hier in dit bomvolle land blijf wonen?'

'We gaan allemaal,' zei Boris. 'Dit land zakt weg in de zee. Hoe oud denk je dat Puck moet zijn om te vertrekken?'

'Zestien, zei Siem, 'nog even wachten.'

Ik spring uit bed en sta voor de spiegel. Wit zacht krullend haar en mooie tanden... O, als Boris dat eens echt zou zeggen. En wat wil ik dan? Boris heeft het altijd over Afrika. Zou ik ooit naar Afrika gaan? Ik kijk naar buiten en zie onze straat opeens heel anders. Alsof ik hem nog nooit heb gezien. De huizen aan de overkant, de voordeuren, de bomen, de rij geparkeerde auto's... Nog een paar jaar, dan ben ik hier weg.

Ik borstel met harde slagen mijn haar. De krullen heb ik van oma en van mama, net als Christientje. Verder heeft niemand krullen in de familie. Ik begin al te wennen aan mijn witte haar. Ook aan mijn hardere fellere stem, die voor de helft van de Pauline van Christientje is en voor de andere helft van de Pauline van Puck.

Ik trek mijn witte trui en een witte broek aan, de rode laarzen van Tina en ik bind een rode haarband in mijn haar. Ik doe lippenstift op, een beetje maar, zodat niemand echt ziet dat het lippenstift is.

Christientjes dag. Vandaag. Ik probeer de kramp in mijn maag niet te voelen. Die kramp hoort bij Puck en niet bij Pauline.

'Het gaat anders dan anders.' Pauline in de spiegel knikt naar me en zegt: 'Luister.'

Ik luister.

'Jij bent nu de baas. Jij zegt wat er gaat gebeuren. Jij zorgt dat er geen drama's plaatsvinden. Een mooie herdenking, meer niet. Daarna ga je lekker naar Siem kijken en kletsen met Tina en Erna en stiekem op Boris letten. Misschien zit je in de schouwburg wel naast hem. En anders zorg je maar dat je naast hem zit. Meisjes zijn geen afwachtende schapen. Laat mama maar zien dat Pauline er is. Laat papa en Harm het ook maar zien. Je bent geen bange afwachtende knikkende en tegelijk woedende Puck meer.'

Ik knipper met mijn ogen, ik staar naar mijn eigen spiegelbeeld. Ik frons mijn wenkbrauwen, ik zet mijn tanden op elkaar.

'Nou zeg, wie praat er eigenlijk tegen wie?' zeg ik.

'Pauline praat.'

'Oké dan.'

Ik druk een zoen op mijn eigen lippen: 'Zo ben ik nooit meer alleen.'

'Stel je niet zo aan,' zegt Pauline. 'Ga wat doen.'

Ik sluip zacht de trap af. Het is nog vroeg. Op de overloop fluistert Christientje me toe: 'Hé zeg, ik ben jarig, kan er geen zoen af?'

Ik sta geschrokken stil bij haar foto. De melktanden zijn

weg, grotemensentanden lachen mij toe. Haar ogen lijken lichter blauw dan anders.

'Eén zoen,' zegt Christientje zachtjes. 'Ik ben je enige zus. Zeg Puck, hoe zou je het vinden als ik mijn haar rood verf? Goeie mop toch, ik heb ook wel eens zin in iets anders. Ben ik de andere helft van Pauline. Zo bedoel je het toch?'

Ik knik. 'Ik ben nu Pauline,' fluister ik terug, 'dat weet je toch?'

'Natuurlijk, hartstikke hip zie je eruit. Geef ze ervanlangs. En mama, let op mama, zij is eigenlijk verschrikkelijk leuk en lief. Ik heb zoveel met haar gelachen. Wij praten elke dag samen, mama en ik. Ze vertelt veel over jou, ze is helemaal gek van jou. Soms ben ik jaloers. Maar ze zegt dat je nooit jaloers moet zijn, dat zoiets heel stom is. En dan lachen we. Jullie moeten ook meer lachen.

"Je houdt van elk kind anders en van elk kind evenveel," zegt mama,' gaat Christientje verder. 'Soms steekt ze haar tong naar me uit en dan zegt ze: "Jij donderse meid, waar hang je uit, vertel het me." En dan vertel ik het en dan zucht ze, soms huilt ze. Maar vaak als we hebben gepraat lacht ze heel vrolijk en dan zegt ze: "Ik ga koken wat Puck zo lekker vindt. Pasta met zalm en abrikozenijs toe. Of spinazietaart met blauwe kaas." Ssst, ze zijn wakker, ik hoor ze. Pauline, alsjeblieft, wil jij een rode roos voor mij plukken, zo'n grote uit de tuin?'

Ik knik. Ik druk vliegensvlug een zoen op haar mond. Ze zoent terug. Ze doet heel even haar ogen dicht, en dan zijn ze weer open. Heel lichtblauw zijn ze, zoals de zee kan zijn.

'Ik zal het doen, ik zal het allemaal doen,' zegt Pauline.

Voordat de anderen beneden zijn heb ik de tafel gedekt. Ik heb de allermooiste roos uit de tuin geplukt en die in een fles bij het portret van Christientje op mama's bureau gezet, naast het vers geplukte boeketje van papa en mama.

Net als ik de thee opgiet komt mama binnen en kijkt verbaasd naar de gedekte tafel. Ik zie hoe doorschijnend en moe ze eruitziet. Ik loop naar haar toe en sla mijn armen om haar hals. We staan even dicht tegen elkaar aan.

'Ik wilde je gewoon helpen, zomaar om vandaag,' zeg ik.

'Kind, wat heerlijk,' zegt ze, 'ik krijg écht een grote dochter.'

Dan ziet ze de roos. 'Heb jij dat gedaan?'

Ik knik. 'Ik denk dat Christientje graag een roos van mij wil.'

'Ik weet het wel zeker,' zegt mama. Ze huilt niet. Ze gaat gewoon aan tafel zitten. Ze drinkt thee en schuift mij een kopje toe.

Papa en Harm komen tegelijk binnen en schuiven zonder een woord te zeggen aan de tafel. Harm kijkt op zijn horloge.

'Ik moet vroeger op school zijn, voor straf, omdat ik gisteren te laat was,' bromt hij binnensmonds.

Hij smeert een boterham, zwaait even en rent de deur uit. Ik zie dat hij liegt.

'We wachten om vier uur op je,' schreeuw ik hem achterna.

Ik zie hoe papa onhandig een hand op mama's arm legt. Ik kijk naar zijn knipperende oogleden, mijn vaders wenkbrauwen gaan omlaag, één mondhoek gaat omhoog. Het snuiven begint.

Ik recht mijn rug. Ik wacht niet af.

'Thee, pap?'

Eigenlijk wil ik zeggen: 'Ik hou van je, pap, omdat je opkomt voor Harm en voor mij. Omdat je niet weet wat je moet doen, hoe je het goed moet doen. Omdat je naar die afspraak wilt gaan, gewoon, ook al is Christientje jarig. Ik hou van je omdat jij ons nu misschien wel belangrijker vindt.'

Ik zeg iets heel anders. 'Ik heb een idee.'

'Een idee, wat voor idee?' vragen ze tegelijk. Ze kijken niet naar mij, maar naar elkaar.

Ik voel me opeens heel oud, alsof ik de moeder van mijn ouders ben. Ik zie dat mijn moeder vindt dat mijn vader thuis moet blijven. Ik zie dat mijn vader weg wil gaan, dat hij daarom ook zijn pak heeft aangetrokken en een das om heeft gedaan. Hij weet alleen niet hóé hij weg moet gaan.

'Ik heb vanmiddag vrij,' lieg ik, liegt Pauline, 'er vallen een paar lessen uit. Nou heb ik zo'n zin om vanochtend te spijbelen. Dan ben ik samen met mama lekker thuis, misschien gaan we wel koffiedrinken bij oma en opa. Of we blijven samen hier, of we gaan wandelen. Dan kan papa gewoon naar die afspraak op zijn werk gaan. Mama is niet alleen. En ik wil graag bij mama zijn. Goed idee?'

Pauline is overtuigend. Haar witte haar, witte trui en witte broek stralen op deze mooie en ook verdrietige junidag. Ze is niet uit het veld te slaan. Ik lach mijn tanden bloot om het plan te onderstrepen.

'Ik vind het een reuze idee,' zegt mijn vader. 'Na die afspraak kom ik direct naar huis.'

'Heb je ons dan gehoord gisteravond, Puck?' zucht mijn moeder.

'Ik heb alles gehoord,' zegt Pauline met een koele blik. 'Daarom dat idee.'

'Dat had je niet moeten horen, het spijt me, ik heb mezelf soms niet in de hand.'

'Gisteren is voorbij,' zegt mijn vader, 'we doen allemaal ons best.'

'Je kan toch niet zomaar niet naar school gaan,' zegt mama.

Ik trek mijn mond scheef. 'Ik heb toevallig ook verschrikkelijke kiespijn.' Ik knik. 'Ja, ik voel het echt, ik heb verschrikkelijke kiespijn.'

Ze lachen. Ze kunnen lachen op de verjaardag van Christientje. Dat komt door Pauline.

Papa geeft mij een zoen. 'Kinderen worden groot,' zegt hij en hij knijpt even in mijn arm.

We zwaaien hem na, arm in arm. Mama en ik.

13

DAGBOEK

We zijn na het ontbijt een hele tijd samen in de kamer gebleven, koffie gedronken en de fotoboeken van Christientje bekeken. Christientjes geboorte, Christientjes eerste stappen, het eerste fietsje, de eerste schooldag. Mama vertelt elk jaar dezelfde verhalen. Ik ken ze uit mijn hoofd. Daarna heb ik vragen gesteld die ik nooit eerder durfde te stellen.

Ben je heel erg boos op oom Koos geweest omdat hij die vijver had?

Lijk ik op haar?

Was je blij dat Harm een jongen is?

Was je blij dat ik een meisje ben?

Ben je ooit weer helemaal blij geweest?

Praat je met Christientje?

Mama schrok toen ik die laatste vraag stelde.

'Ja, ik praat met Christientje,' zei ze. 'En ik verbeeld me dat ze terugpraat. Ze is altijd vrolijk.'

Daar schrok ik weer van.

'Zou er een leven na dit leven zijn?' vroeg ik toen. Erna zegt van wel. Tina vindt het onzin, de moeder van Tina ook. De vader van Erna vindt dat het een mysterie is. 'Gelukkig maar,' zegt hij altijd, 'dat we niet alles weten.' Maar Siem beweert dat er absoluut een ander leven is na je dood, zoals in De Gebroeders Leeuwenhart. *Dat zei ik tegen mama. Zij vond dat ook zo'n mooi boek.*

'Prachtig,' zei ze en toen: 'Maar wie is Siem ook alweer?'

Nou zeg. Ik praat elke dag over hem!

'O ja, natuurlijk,' zei ze maar ze wist het niet . Ik vond haar opeens stom.

Er was een nieuwe stem in mijn hoofd. Paulines stem, die zomaar hardop zei: 'Kom op, we gaan naar buiten, we gaan naar opa en oma toe en daar lunchen, dat vinden ze vast leuk. Ik bel ze dat we eraan komen.'

En daarna in mijn hoofd: Laat je niet direct weer verslaan. Doorzetten.

Mama wou protesteren. Maar ik belde gewoon.

Oma was blij. 'Wat leuk, Puck!'

'Ik heet nu Pauline, net als jij,' riep ik door de telefoon.

Dat begreep ze niet meteen maar ik had echt zin om het haar te laten zien. 'Je moet je mooi aankleden,' zei ik tegen mama, 'dat wil Christientje. Ik praat namelijk ook met haar, ze wil dat je er mooi uitziet vandaag.'

'Jij praat ook met haar?' Mama's mond bleef open hangen.

'Wij zijn toch gewoon zusjes,' zei ik. 'Ik hoor wat ze zegt.'

Mama vroeg zich af wat er gebeurde.

En in mijn hoofd zei Pauline: 'Goedzo. Je bent van jezelf. Ik ben ik, vergeet het niet.

Oma Pauline staat voor het raam naar ons uit te kijken. We zijn allebei naar haar vernoemd, eerst Christientje en later ik. Opa is in de tuin bezig met een achterlijk schort voor zijn dikke buik en grote handschoenen aan. Hij stormt op ons af en omhelst ons alsof hij ons in geen maanden heeft gezien.

'Wat een voortreffelijk idee,' zegt hij en dan ziet hij mijn haar. 'Wat een raar gebleekt koppie heb jij.' Hij lacht droog. 'Wat zijn dat voor fratsen, ik was zo gek op die rode krullen van jou.'

'Wat je zegt,' zucht mijn moeder.

Oma Pauline zegt dat het wit me schitterend staat, dat ik er een nog grotere schoonheid door word. Ze overdrijft altijd. Maar ze meent het ook, want ze zegt: 'Wat ben je toch een verrassende hartendief.' En in de keuken: 'Ik ben zo blij dat je mijn naamgenoot bent. Luister Pauline, ik heet Pauline Rosa, dat weet je. En ik dacht op een goed moment dat ik beter Rosa kon heten omdat dat liever klinkt. Ik heb het een week volgehouden, maar de naam Pauline hoort echt bij mij. Hoe zit dat nou bij jou?' Ze kijkt me lief aan.

Puck vertrouwt de toon van oma niet helemaal. Maar Pauline geeft gewoon antwoord.

'Ik ben het allebei,' zeg ik. 'Pauline is de tweede en andere Puck. Voorlopig ben ik haar.'

'Ik snap het,' zegt oma. Maar ze kijkt vreemd.

'Echt prachtig die witte krullen,' zegt ze wel drie keer tijdens de lunch.

'Nou weten we het wel,' zegt mijn moeder.

'Doodzonde, geef mij die vlammen maar,' zucht opa.

Wanneer ik op de wc zit hoor ik oma met mijn moeder praten. 'Let je wel goed op je dochter?'

'Hoezo?'

'Ik weet het niet, iets deugt niet.'

'Dat zeg jij altijd.'

'Je zou hier eens over kunnen nadenken,' zei oma.

Ik trek de wc door en het gesprek houdt meteen op. Ik vind mijn witte krullen in de spiegel opeens doodeng. Het gezicht van Christientje grijnst me toe. Ik heb zin om bij opa op schoot te kruipen en heel hard te huilen.

Christientje kijkt vals, zo heeft ze nog nooit gekeken.

'Als ik echt zeventien was geworden, zou ik je misschien wel vreselijk hebben gepest,' zegt ze.

's Middags gaan we met z'n allen naar het graf. Opa en oma zijn ook mee. Het boeketje van oom Koos ligt al bij de steen. Christientjes graf is mooi, er groeien wilde bloemen en er staat een beeldje van brons: de vierjarige kleuter, met een schortjurkje aan en sandalen. Ze heeft mooie benen met ronde kuiten en mollige armen en een vrolijk gezicht met een krans van krullen. Een vriendin van mama die beeldhouwster is, heeft het gemaakt.

Papa zegt bij het graf dat we altijd aan Christientje zullen denken. Oma huilt, mijn moeder niet. Ik sta dicht naast haar met haar hand in de mijne. Ik knijp haar. Daarna schikken we samen de bloemen. 'Lieve lieve dochters van mij,' fluistert ze in mijn oor.

Harm staat bij opa. Ik vind hen mooi samen, allebei dragen ze een blauw overhemd en een bruine broek. Het is net alsof ze op een eiland staan. Opeens verlang ik ernaar een jongen te zijn.

Op dat moment komt oom Brandje aanlopen. Hij draagt een bos brem in zijn armen. Ik ren naar hem toe en vlieg in zijn armen.

'Wat word jij toch groot,' zegt hij, 'je lijkt wel achttien.'

Als we weer naar huis lopen zegt mijn vader dat Erna heeft gebeld. Of Tina en ik bij haar komen eten voor we naar het theater gaan waar Siem vanavond optreedt. Hij zegt dat ik mag gaan, dat mama het ook goed vindt.

'Wat is dit?' vraagt Harm. 'Doorbreken wij een traditie?'

Ik doe net of ik hem niet hoor. Gelukkig gaat op dat moment net mijn telefoon en zijn we bij huis. Ik pak mijn fiets en verdwijn. Ik wil niet meer de trap op. Niet meer de foto van Christientje zien. Ook niets meer over haar horen.

14

Het grachtenhuis waar Erna en haar vader wonen is groot en heeft drie hoge ramen die op de straat uitkijken. Beneden zijn een enorme kamer en een woonkeuken, boven heeft Erna een kamer aan de achterkant met een groot balkon waar ze een hangmat heeft opgehangen. Ze heeft een eigen badkamer met knalblauwe tegels en een bad.

Aan de voorkant hebben ze een muziekkamer waar een vleugel en een piano staan. Aan de muur hangen vier violen. Ook Erna's saxofoon ligt daar.

Soms zijn er muziekavonden en mogen Tina en ik komen luisteren. Ze spelen altijd klassieke muziek. Meestal vinden we het een beetje saai, maar het is indrukwekkend om Erna's vader te zien spelen. Hij heeft zwarte krullen en een kromme neus. Hij tilt Erna soms zomaar hoog in de lucht. 'Nog steeds een veertje,' roept hij dan.

Erna vindt het allemaal heel gewoon. 'Iedereen heeft wat,' zegt ze laconiek. 'Ik zou liever een gewone moeder hebben zoals jullie, in plaats van een groot huis en een eigen bad en ik zou ook liever een gewone vader hebben. Maar ik heb ze nou eenmaal niet. Onze familie is een beetje getikt.'

Erna en Tina hangen samen op Erna's bed. De muziek staat keihard.

'Zo smerige spijbelaar.'

Ik plof naast hen op het bed en grijp uit een bak zoutjes die ik in één beweging naar binnen werk. 'Tjonge wat een dag, Christientjes verjaardag.'

'Gefeliciteerd.' Erna heft haar limonadeglas. 'We moesten je daar weg zien te krijgen. Tenslotte gaan we vanavond naar je geliefde Siem die zulke grote talenten in je heeft ontdekt.'

'Doe niet zo flauw.'

'Het is waar, je bent een formidabele fee, een redenaar van klasse, een...'

'Doe jij eens even normaal,' zegt Tina tegen Erna, en dan tegen mij: 'Vertel, viel het mee vandaag?'

'Sinds ik Pauline ben valt alles mee,' zeg ik. 'Mijn moeder deed niet zo ellendig als altijd, vanochtend ben ik meegegaan naar oma en opa en vanmiddag zijn we met z'n allen naar het graf geweest. Oom Brandje was er ook.'

'Het is gelukkig weer voorbij,' zucht Tina.

Erna schenkt nieuwe cola in, scheurt een zak chips open en gooit die in een bak.

Ik kijk haar kamer rond en droom even weg. Ik vraag me af waarom ik niet echt iets over Christientje vertel, dat ze tegen me praat, dat ik soms opeens bang van haar word. Het is net alsof ik me schaam.

'Sommige dingen doe je gewoon alleen,' zegt de stem van Pauline in mij. 'Kop dicht, Puck, de dag is voorbij en je deed het goed.'

'Ik word er dus gek van,' hoor ik Erna zeggen.

'Waar word je gek van?'

'Luisteren is ook een vak, zit jij met je gedachten al bij Siem, of is er iets anders aan de hand?'

'Ik ben helemaal hier bij jou,' zeg ik. 'Er is niets aan de hand, vertel op.'

'Mijn vader heeft een nieuwe vriendin en daar word ík dus gek van. Mijn moeder komt écht naar Nederland en gaat dan als een zogenaamd leuke moeder bij de musical zitten kijken en daar word ik nog veel gekker van. Over drie dagen mag ik haar gaan afhalen op Schiphol. Leuk, leuk, allemaal leuk. Ik heb verschrikkelijk veel zin om weg te lopen.'

'Mwah,' zegt Tina, 'weglopen moet je nooit doen. Eerst die vriendin, je vader heeft toch wel vaker een vriendin gehad?'

'Ja, maar deze is een regelrechte ramp.'

'Waarom?'

Tina en ik hangen aan Erna's lippen. Ze leeft in een wereld die wij niet kennen. Een wereld van veel geld, dure auto's en grote huizen. Een wereld waarin een vader iedere keer weer een andere vriendin heeft. Een vader met heel vreemde meningen over van alles. Een vader die avonden lang viool speelt, en soms wel twee flessen wijn op een avond leegdrinkt en de volgende dag alleen maar ligt te slapen.

Erna kookt vaak voor zichzelf. Ze staat elke dag alleen op, ontbijt in haar eentje en gaat dan naar school. Toch is ze dol op haar vader. Tina en ik begrijpen dat, wij zijn ook dol op haar vader. Hij is geestig en vaak ook heel gul. Hij trekt gekke bekken en vraagt dan: Help eens denken, ik ben niet voor niets uitvinder, wat vinden jullie nou dat er uitgevonden moet worden? We verzinnen de gekste dingen en hij belooft dat hij het allemaal gaat uitvinden. Maar er gebeurt nooit iets.

'Wat mankeert er aan die vriendin?' vraagt Tina.

'Alles. In de eerste plaats heeft ze belachelijk dikke billen en een domme wipneus. Ze is poeslief en ze eet als een varken. Ze heeft afschuwelijke paarse nagels en ze probeert aardig tegen mij te doen. "Lieve kind" of "liefje" zegt ze. Liefje, horen jullie dat, iemand die voor het eerst hier in huis komt en me dan liefje gaat noemen. Ze heet ook nog Jenny. Gedverderrie. En ze stinkt naar parfum.'

'Kortom, een geslaagd persoon.' Ik knik. 'Wat zou je vader in haar zien?'

'Ze speelt viool. Volgens mijn vader steengoed. Als ze staat te jammeren op dat ding loopt hij over van adoratie. Niks is zo stom om je eigen vader als een verliefd jongetje te zien. Gelukkig weet ik dat zijn verliefdheden zo weer over zijn.'

'Dit geven we drie maanden de tijd en dan zien we wel,' zeg

ik, zegt Pauline. 'Volgens oom Brandje zijn mannen vaak verliefd op vrouwen die vioolspelen. Hij tenminste.'

'Echt waar?' Tina rekt zich uit en rolt zich dan als een poes op de bank. 'Ik vind mannen zo nu en dan echt belachelijk.'

Erna kijkt me verbaasd aan. 'Nou zeg, jij bent ook een koele.'

'Hier kan je gewoon niets aan doen, je vader gaat heus niet naar jou luisteren.'

'Ik vind het feit dat je moeder komt eigenlijk veel belangrijker,' zucht Tina.

'Ik ook,' zegt Pauline. 'Hou je dan helemaal niet van haar, hoe zit dat nou?'

'Ik was gewoon te klein, toen ze wegging. Ik wist nauwelijks wie ze was. En als ze dan in Nederland was moest ze altijd van alles doen, al die modeshows aflopen. Soms mocht ik mee, maar ik vond er niets aan en dat vond zij weer niet leuk. Van zo iemand ga je toch niet houden? Dat is toch geen normale moeder? Ik denk dat zij nu denkt dat ik groot ben en dat ik dan andere dingen leuk ga vinden. Haar dingen. Nou, mooi niet. Ik heb van papa begrepen dat ze in Italië een bekende ontwerpster is met een eigen merk.'

'Eigenlijk wel tof,' zegt Pauline, 'wat ontwerpt ze dan?'

'Schoenen.' 'Ook wel spannend, ik ben gek op schoenen. Misschien moet je proberen anders naar haar te kijken. Of gewoon een heleboel vragen stellen. Misschien wéét je wel niks echt van haar.'

Nu ik als Pauline praat wil ik alles veranderen, alles een andere kans geven. Het geeft een gek machtig gevoel.

'Meen je dat nou?' vraagt Erna.

'Ja echt, ik heb vandaag ook heel anders tegen mijn moeder gedaan dan anders. Dat hielp ook. Ik geloof dat ze zelfs verbaasd was.'

'Hm, ik zal... Ik ga het proberen. Gaan jullie mee naar Schiphol om haar af te halen?'

Tina en ik beloven het. Wij hebben een absoluut verbond. Als één van ons iets moeilijk vindt, dan kan ze de anderen aanroepen om te helpen. De trioPET tot in de eeuwigheid noemen we dat elke keer weer.

Zo nu en dan kijken we in het knaloranje schrift waarin we die moeilijke dingen opschrijven en ook hoe de trioPET daarbij geholpen heeft. Soms lezen we het hele schrift door en lachen ons slap over wat we ooit allemaal moeilijk hebben gevonden.

'Ze komt heel vroeg op de dag van de generale repetitie,' zegt Erna. Ik zie tranen in haar ogen. Maar bij Erna moet je daar niet over beginnen.

'Ik ga koken,' roept ze snel, 'ik bedoel opwarmen. Er is een grote pan pasta van gisteren over en er is ijs toe.'

We leggen even onze handen op elkaar en schudden die. Dat doen we bij elke trioPET-afspraak.

'Wij gaan dus mee naar Schiphol je moeder afhalen,' zeggen Tina en ik tegelijk.

Erna knikt. 'Hartstikke tof.'

Tina zet de muziek harder en begint te dansen. 'Weg met al die mama's,' brult ze door de kamer, 'ik ben Tina met de dikke billen en de domme wipneus, ja heus, ja heus. Liefje is het eten klaar...'

We lopen keihard zingend de trap af.

Onder aan de trap zwaait de voordeur open. Erna's vader staat in de gang met achter hem een vrouw.

'Mijn God,' kreunt Erna binnensmonds, 'ook dat nog, kom op meiden, de keuken in.'

'Hé, daar hebben we het befaamde trio, dag vriendinnen, mag ik jullie even voorstellen, dit is Jenny.'

Tina en ik geven haar een hand. Erna is al in de keuken.

'Wat hoorde ik voor kabaal, is dat een nieuwe hit?'

'We oefenen een lied uit de musical,' liegt mijn Pauline met verve.

'Aha, de musical, nou, ik ben benieuwd. Zeg Puck, waar zijn jouw rode krullen gebleven?'

'Bij de kapper,' zeg ik. 'En ik heet tegenwoordig Pauline.'

Jenny glimlacht vriendelijk. 'Wit is ook mooi hoor, trendy.'

'O ja, heel trendy.' Ik verbijt een lach.

Even later liggen we gierend van de slappe lach over de keukentafel.

Het loopt een beetje uit de hand. Tina begint op de keukentafel te dansen en stapt in de pan met saus. Erna laat een bord in heel veel stukjes op de plavuizen vallen en ik plas bijna in mijn broek van het lachen.

We moeten keihard fietsen om op tijd bij Siems voorstelling te zijn. Het is nog steeds Christientjes verjaardag, bedenk ik tijdens het vastmaken van de fietsen. Ik verlang er opeens naar om gewoon thuis te zijn. Ik wil weten wat ze nu doen. Maar dan denk ik aan Christientjes foto op de overloop en voel ik weer die gekke angst opkomen. 'Kom op,' hoor ik Pauline zeggen, 'nu ik. Ik ben van mezelf, weet je nog.'

15

De liefde is een luchtkasteel. Beide geliefden bouwen driftig door zonder dat het ooit tot iets komt. (geknipt door Erna)

Het is een heel klein theater waar Siem optreedt. Hij speelt in een zelfgeschreven stuk over een merel en een Russische prinses. Die prinses bezit een magische kracht, vertelde Siem in de les, en: 'Ik ken zo'n prinses. Ze heet Ilja en ze komt echt uit Rusland. Nou ja, jullie moeten zelf maar kijken wat je ervan vindt.'

We zitten verdeeld over drie rijen bij elkaar, de hele klas. Onze mentor Luc zit naast Erna aan de buitenkant. Ik zit tussen Erna en Tina in. Schuin voor mij zit Boris. Ik kan zijn haar aanraken als ik een beetje voorover buig. Toen we bijna te laat binnen kwamen draaide hij zich om en lachte. 'Gelukkig, ik dacht al dat jullie niet meer kwamen, dat zou rot zijn voor Siem.'

'Je bedoelt voor jou zeker,' snierde Erna.

'Natuurlijk komen wij,' zei ik snel, 'ik ben veel te nieuwsgierig.'

Ik voel hoe fijn ik het vind in Boris' buurt te zijn. Aan zijn gezicht zie ik hoe hij het verhaal vindt. Ik verbeeld me dat ik hem ruik. Ik verbeeld het me niet, ik ruik hem gewoon.

Het gordijn gaat open. Het toneel is helemaal leeg, ergens ver weg klinkt accordeonmuziek. Wanneer Siem opkomt in een rode glanzende broek, een zijden glanzend rood overhemd en een zwarte lange sjaal om zijn nek, beginnen we te joelen en te klappen.

'Siempie, Siempie, Siempie...'

Siem doet of hij niets hoort en kijkt recht over ons heen de zaal in.

Boris fluit keihard tussen zijn tanden.

'Jéminé, is dit een nieuwe merel, een ongeboren merel misschien?' vraagt Siem aan het publiek. 'Wie floot er zo godvergeten schitterend, wil diegene eens even gaan staan?'

Boris gaat staan.

'Nog een keer graag.'

Boris fluit keihard.

'Nog een keer,' zegt Siem.

Boris fluit nu een wijsje. Het klinkt mooi.

'Geen merel, maar een nachtegaal, nog één keer. Wedden dat de prinses er dan aankomt. Want over haar wil ik vertellen. Lok haar maar.'

Boris fluit het wijsje nog eens.

'Kijk,' zegt Siem, 'kijk, daar komt ze.'

Ilja komt op. Haar kleurige rok wappert onder haar knalrode glanzende vestje. In een draagdoek ligt een baby die ze heel zachtjes wiegt. Ze zingt een onverstaanbaar liedje en gaat op een stoel op het toneel zitten.

Het wordt stil in de zaal. De prinses zingt zachtjes door.

'Kijk, de merel is gewoon dood.' Siem haalt een zwart speelgoedvogeltje tevoorschijn en laat het de kinderen op de voorste rijen voelen. 'Zo gaat dat, waar de liefde is, vallen doden. Luister naar mijn verhaal, of nee, luister eerst naar de muziek.'

Siem haalt een kleine accordeon te voorschijn en begint te spelen.

'Waar de liefde is, komen ook altijd weer kinderen, dat snappen jullie zeker wel.'

Er gaat een luid gejoel op. Boris draait zich om, we kijken elkaar even recht in de ogen en dan allebei weer gauw voor ons. Dan begint de prinses te zingen op de klanken van de accordeon. Het klinkt droevig. De prinses loopt langzaam heen en weer terwijl ze zingt en dan het toneel af.

'Zo mooi,' fluistert Siem op geheimzinnige toon. En dan begint hij als een razende te vertellen over de Russische prinses uit het verre land en de verliefde dwaas, die haar meeneemt naar het land onder het water. Hij schiet over het toneel, zingt, speelt, danst het verhaal. De prinses heeft heimwee, tot de merel een wijsje voor haar fluit dat haar gelukkig maakt.

'Fluiten jij,' zegt Siem aan het eind van zijn verhaal en wijst naar Boris, 'want jij hebt het wijsje van de vogel gepikt.'

Er klinkt weer een luid gejoel.

Boris staat op. Even is het héél stil. Hij fluit nu een ander wijsje. Nog mooier.

'Hier komen,' gebiedt Siem.

Boris komt naar voren en stapt het toneel op. 'Applaus, zonder dit wijsje was mijn verhaal lang zo goed niet geworden. Waar heb je dat fluiten geleerd?'

'In Afrika op de steppe,' zegt Boris.

'Van de apen zeker.'

'Van de witte neushoorn.'

'O,' zegt Siem, 'dacht ik het niet, de neushoorn is echt zo'n klein flierefluitertje. Bedankt jongen, je hebt mijn verhaal gered. Buigen, kom.'

Ze staan opeens hand in hand, Siem en Boris, en ze buigen samen onder hard applaus.

Ik voel hoe bijzonder deze avond is. De gezichten van Christientje en Boris beginnen door elkaar te lopen. Ik wil alles van Boris weten over Afrika. Ik wil weten wat die witte neushoorn betekent. Waarom gaf Boris mij die knipoog?

Het gordijn gaat dicht. Nog steeds klinkt het applaus.

'Knap gedaan,' hoor ik Luc tegen Erna zeggen. 'Zonder attributen, alleen maar een speelgoedvogeltje. Echt ontzettend knap.'

We zijn trots op Siem. We blijven joelen en trappen en

klappen. We willen de hele zaal laten horen dat hij degene is die onze musical gaat regisseren.

We mogen achter het toneel komen en met Siem samen wat drinken. Hij staat daar met kletsnatte haren en een grijnzende kop. 'En, wat voor cijfer krijg ik?' vraagt hij.

'Een zes.' 'Een acht.' 'Een tien!' Iedereen roept door elkaar.

'Een slome gemiddelde zeven dus,' concludeert Siem, 'wacht maar, nou jullie nog.'

We hebben opeens allemaal weer zin om te oefenen. Nog drie dagen dan is de generale repetitie in de aula. Dan nog twee dagen en dan is de echte uitvoering met alle ouders erbij. De aula zal bomvol zitten.

Naast Siem staat de prinses uit het stuk te glimlachen in de veelkleurige wapperrok.

'Dit is mijn vrouw,' zegt Siem, 'ze heet Ilja, ze verstaat geen woord van wat jullie allemaal roepen, want ze komt echt uit Rusland. En die baby is ook echt van ons, die heet Jorik.'

Ilja glimlacht. 'Ik sprek mar een heel beetje Nederlands,' zegt ze.

'Ik spreek natuurlijk heel goed Russisch,' grinnikt Siem, 'maar als je verliefd bent hoef je helemaal niet te praten.'

Op dat moment kijken Boris en ik elkaar weer aan. Hij lacht en fluit zacht tussen zijn tanden. Ik voel dat ik bloos.

'Ilja, dit is Pauline, de fee in het schoolstuk, die alle talen door elkaar spreekt, dat ga je nog horen. Dit is Loes, de boze moeder. En dit is Tina, die danst als een vliegende zwaan. En dit is Erna de saxofoniste, met Herman, kijk daar is Herman. En Boris, de fluitspeler, die danst als een aap. Jongens, ik drink op jullie musical.'

'En wij drinken op jouw verhaal,' roept Luc, 'wij hebben maar geluk dat je ons komt helpen, jongens, we maken er een topvoorstelling van.'

'Een topvoorstelling,' roepen we allemaal door elkaar.

‘Waarom zei je witte neushoorn?’ vraag ik aan Boris als we naast elkaar naar buiten lopen.

‘Dat is een heel verhaal, maar ik wil het je graag vertellen.’

‘Waar gaat het over?’

‘Over de macht van de witte neushoorn, hij is de heilige onder de beesten.’

‘Hoe kan dat nou. Heilig, waarom heilig?’

‘Dieren hebben oerwetten. De neushoorn is de allerbelangrijkste.’

‘Echt?’

‘Echt.’

‘Wat echt?’ vraagt Tina die opeens naast mij staat.

‘O niets,’ zeg ik.

Boris zwaait. ‘Ik moet naar huis. Dat komt dus nog,’ zegt hij snel.

Ik knik en staar langs Tina heen om te kijken hoe hij wegfietst.

‘Wat doe jij opeens raar,’ zegt Tina, ‘ben je geschrokken van Siem, dat hij een vrouw en een kind heeft, je was toch verliefd op hem?’

‘Pauline verliefd op Siem?’ vraagt Erna die nu ook weer bij ons staat. ‘Wat ben jij een blind uilskuiken, zeg. Op Boris, zal je bedoelen, dat is toch al lang duidelijk.’

‘Doe niet zo achterlijk,’ zeg ik kwaad.

‘Wat nou achterlijk, het gaat toch nooit ergens anders over? Tina is verliefd op Herman.’

‘Hou jij je idiote fantasieën voor je,’ bitst Tina, ‘ik ben totaal niet verliefd op Herman.’

‘Nee? Nou, dan heeft hij pech want hij is het wel op jou. Dat heeft hij mij verteld, we hebben samen saxofoonles, weetjewel.’

‘Echt waar?’

‘Ik zweer het je. Alleen ik ben op niemand verliefd,’ zucht

Erna, 'ook niet op Siem, waar iedereen geloof ik verliefd op is. Maar, beste brave trioPET, ik moet jullie iets bekennen. Ik heb gisteravond wel ontzettend gezoend met Dirk Jan.'

'Wie is dat?'

'Dirk Jan zit bij jouw broer Harm in de klas. Hij zoent lekker. Het was op een feestje waar papa mij mee naar toe nam. Daar was hij ook. Maar verliefd, nee, ik niet. Ik kijk wel uit.'

'Je bent een ondoorgrondelijk monster,' zeg ik, zegt Pauline.

Erna schiet in de lach, 'Weet je wat ik vind, ik vind Pauline veel leuker dan Puck. Ik lach me gek om jou. Wat is er in vredesnaam met jou aan de hand?'

We fietsen achter elkaar door de donkere stad. Erna is het eerst thuis. We zwaaien. Tina en ik fietsen samen verder. De woorden van Erna klinken na. Wat is er in vredesnaam met mij aan de hand? Ik wil dat ik de Russische prinses uit het verhaal van Siem ben. En dat ik Ilja heet, en dat Boris Siem is. En dat dus alles anders is.

Voor we afscheid nemen bekennen we elkaar dat Erna gelijk heeft. Tina is verliefd op Herman en ik op Boris.

'En wel geheimhouden,' zeggen we tegelijk.

16

DAGBOEK

Wat is eigenlijk een fee en wat een feeks?

Die vraag stelde Erna. We zaten met de TRIOpet in de auto met haar vader. Haar moeder vindt ze een feeks, een getemde, zo een uit het toneelstuk van Shakespeare: De getemde feeks.*'*

Haar vader werd kwaad. 'Je moet je moeder nog leren kennen, Erna,' zei hij. Ik heb hem nog nooit zo hard gehoord en er kwam een heel betoog achteraan. 'Ze is een fantastisch mens, ze houdt nu eenmaal niet van kleine kinderen en ook niet van gebondenheid en al helemaal niet om te leven in een huwelijk. Jouw moeder is een avonturier. Wacht maar, jij gaat het nog heel leuk met haar krijgen, wedden?'

'Dat bepaal ik toevallig zelf wel.' Erna keek boos en stak haar tong uit. 'Wat denkt ze eigenlijk wel? Ze komt één week, maar moet naar vier modeshows en naar onze musical. Dat is alles, dan gaat ze hup weer weg.'

Zo woedend heb ik Erna nog nooit gehoord.

Maar haar vader wilde geen kwaad woord meer over haar horen. Hij houdt nog steeds van haar, zijn ex-vrouw! 'En zij houdt op haar manier van jou,' zei hij toen tegen Erna. 'Ze heeft je uitgenodigd om de hele zomer naar Italië te komen, alleen of met een vriendin. Leer maar dat er zeer verschillende manieren van houden van zijn. Het ontbreekt jou aan niets.'

Erna draaide zich van haar vader af en keek naar ons.

'Zo domme verliefde koeien,' zei ze vals en zette toen een cd keihard aan zodat niemand meer een woord kon zeggen.

Ik dacht aan oom Brandje die verliefd op mijn moeder was geweest. Hoe zit dat eigenlijk allemaal? Waarom heeft bijna iedereen

een ex die dan een goeie vriend of vriendin wordt? Waarom blijven ze dan niet gewoon bij elkaar, die exen?

Ik vroeg het ooit een keer aan oma Pauline, zij en opa zijn al veertig jaar getrouwd, of mijn ouders zouden gaan scheiden omdat ze afschuwelijke ruzie maken.

'Het is toch niet waar!' zei oma Pauline geschrokken.

Maar het is wel waar, mama gilt vaak heel hard om Christientje en dan wordt papa woest. Misschien gaan zij ook wel uit elkaar. Papa zegt dat mama niet zo hysterisch mag blijven gillen. Dat hij er niet tegen kan. Ik kan er ook niet tegen. Harm ook niet, die loopt altijd weg.

Ik was bij oma Pauline op schoot gekropen, we zaten heel lang heel dicht tegen elkaar aan. Het was twee dagen voor mijn tiende verjaardag. Mijn verjaardag is vlak na de sterfdag van Christientje. Dat zal altijd zo zijn. Het voelt alsof ik nooit echt jarig ben, of de sterfdag van Christientje altijd belangrijker is. Ik heb op mijn verjaardag eeuwig een moeder met vochtige rode ogen en een afwezige trek op haar gezicht. En altijd is er een moment dat oma Pauline mijn haar streelt en fluistert: 'Stil maar, mijn hartendief ben je.' Dat wil ik dan heel graag horen.

Volgens oma verwerken mijn ouders samen het verlies. Zij denkt dat ze er samen doorheen komen, omdat wij zulke lieve kinderen zijn, Harm en ik. Maar ook zegt ze: 'Het verdriet om Christientje gaat nooit helemaal weg, dat kan gewoon niet. Dat zal voor jou ook zo blijven. Maar er moet een goeie maat zijn.'

'Ik wil dat het wel weg kan,' zei ik. Urenlang heb ik gehuild. Ik sliep bij oma en opa. Ik wilde niet terug naar huis. Maar mijn tiende verjaardag werd een heel ander feest. We gingen een heel weekend naar Texel, met mijn vriendinnen, papa, mama, opa, oma en Harm met twee eigen vrienden. Mama had geen huilogen. Papa deed een heleboel gekke dingen. Ik weet zeker dat oma Pauline dat allemaal heeft verzonnen.

Maar goed, we waren dus op Schiphol. Erna's moeder kwam uit Rome. Erna snauwde tegen haar vader. Ze was bang dat haar moeder iemand mee zou brengen, een of andere Pedro. Een snob, volgens Erna.

Maar even later stonden ze met de armen om elkaar heen geslagen een croissant te eten. En hard te lachen. Tina en ik begrepen er niets van. We gingen bij de schuifdeuren staan om Erna's moeder op te vangen.

'Het duurt nog wel even want ze heeft altijd drie koffers bij zich,' zei Erna.

Eindelijk kwam haar moeder door de schuifdeur met een karretje vol koffers. Ze was lang, heel slank en droeg knalrode schoenen met heel hoge hakken, een knalrode hoed en een wijde zwarte mantel.

Ze keek lief naar Erna, zoende haar en omhelsde toen Erna's vader. Het zag eruit alsof ze verschrikkelijk verliefd op hem was.

'Snap jij hier iets van,' fluisterde Tina in mijn oor.

Ik zei dat ik ouders eigenlijk helemaal niet meer begrijp. Ik ga anders naar hen kijken en snap er vaak niets van, niets lijkt meer wat het altijd was.

Volgens mij zijn exen leuker dan je eigen vrouw. Dat zei ik ook tegen Tina.

'Mijn ouders stonden vanochtend samen onder de douche Spaanse woorden te repeteren,' zei Tina, 'en heel hard en stom te lachen. Wie gaat er nou samen onder de douche. Soms lijken ze wel gek.'

Harm zegt dat wij andere ogen krijgen, wij gaan anders kijken. Een kwestie van ouder worden, zegt hij, dan zie je ouders steeds meer onvoorstelbare stomme dingen doen en soms zelfs behoorlijk liegen.

Erna's moeder kwam op ons af. Ze was vriendelijk, gaf ons een hand en een zoen tegelijk.

Erna doet altijd net alsof ze haar moeder nooit spreekt. Maar haar moeder weet van alles van ons. Ze zei: 'Erna heeft veel over jullie verteld. Jullie waren het die haar in jullie vriendschap betrokken toen ze voor het eerst op school kwam, daar was ik heel blij mee. En jij danst toch zo fantastisch?' Dat wist ze ook, dat Tina danst.

Tina werd rood. Die houdt niet van overdrijven.

En toen was ik aan de beurt. 'Pauline kan lullen zoals niemand dat kan, dat zul je wel horen,' grinnikte Erna. Ik werd nu ook rood. Maar Erna's moeder lachte en zei dat ze het heel leuk vond om te komen kijken. En toen nodigde ze ons uit om met Erna mee te komen naar Rome. Want dat moet zo'n fantastische stad zijn. Ze wil ons alles laten zien.

'Oké,' zei Erna. 'We komen naar Rome, we hebben toch een eindeloos lange zomervakantie. Maar nu naar huis, want we hebben generale vanmiddag.'

We reden zingend naar Amsterdam, met z'n vijven in de auto. Ook Erna.

Toen Erna ons uitliet zeiden Tina en ik allebei dat we haar leuk vonden.

'Ruilen?' vroeg ze.

'Nee,' zeiden we tegelijk.

Wat is nou eigenlijk een fee? Een soort allesweter, aanzegger, wijze vrouw, zowel boos als slecht, beweert Siem.

De orakelspeech wordt almaar gekker, Boris en Tina moeten steeds harder lachen. Erna zegt elke keer weer dat ze dat ook zou willen kunnen maar dat ze zoiets helemaal niet kan. Dat ze zelfs jaloers is. Boris lacht altijd het allerhardst van de hele groep. Harm gelooft nog steeds niet dat ik zoiets ga doen. Papa en mama zijn nieuwsgierig.

Ik liep net langs de foto van Christientje. Ze sprong weg uit de foto. Ik schrok me te pletter. Ik wilde schreeuwen maar mijn keel zat dicht. Ze kreeg lange armen en benen en een heel mooi lijf, met ronde billen en heupen. Ze had een lange paardenstaart vol witte krullen en een speld met glitters in haar haar. Haar lippen waren knalrood gestift. Ze danste voor mij uit de trap op, mijn kamer in.

'Ga weg,' schreeuwde ik.

'Ik besta,' zei ze. 'Sommige doden bestaan, heb je dat nooit gehoord? Zolang mama mij niet loslaat moet ik hier wel zijn. Ik blijf gewoon bij jullie. Het gaat nooit over, dat zeggen ze toch? Nou goed dan, ik amuseer me wel. Ik ben gewoon zeventien, zie je wel. Ouder dan jij, mooier dan jij, wijzer dan jij. Tja, dat is nu eenmaal zo. Jij bent wel dun zeg, Puck Verhaar, nog geen tieten te bekennen, geen gram vet, een spillepootje van nog geen dertien. Ik ben een moederskind, jij bent een vaderskind. Harm is onze sandwich, die is gewoon van zichzelf. Jij zal nog moeten knokken om mij in te halen.

'Ga weg,' wilde ik schreeuwen. Maar er kwam geen geluid uit mijn keel. Ik schreeuwde vanbinnen: 'Ik heb een beha, een groene fluorescerende, ik heb wel...'

'Ach schaap,' zei Christientje, 'waar wou je hem omheen hangen, die beha van jou?'

'Ga weg, je bent dood.'

'Oké, wat je wilt.' Ze ging mijn kamer uit en stapte de foto weer in. Ze kreeg weer een kleutergezicht, ze had weer melktanden. Ze glimlachte lief.

'Dag lieve Puck, luister, dit was mijn helft van Pauline, Pauline is een kreng, oké, nu ben ik weer Christientje. Zoen?'

Ik werd naar de foto toe getrokken. Ik aarzelde, raakte het glas aan.

'Zusje, lief zusje, zoen, je moet weer lachen, met Christientje kun je lachen.'

Ik gaf een snelle zoen op haar wang.

'Ik duim voor je vanmiddag, zei ze, generale, dat is spannend.'

Ik rende naar mijn kamer, keek rond alsof ze er toch nog was, griste mijn dagboek uit mijn kast en rende zonder naar haar te kijken over de overloop naar beneden.

Ze zong een kinderliedje. 'Op een klein stationnetje. 's Morgens in de vroegte...' Ik probeerde niets te horen.

'Pief paf puf poef...'

Nu zit ik in de tuin. Mama werkt in de bibliotheek. Papa heeft iemand op bezoek in zijn werkkamer. Harm is op school. Erna is met haar moeder thuis. Tina zit bij de kapper. Ik kan nergens heen.

Ik belde oma Pauline omdat ik zenuwachtig ben voor de generale repetitie. Ze zei dat je op een generale fouten mag maken, dat gebeurt altijd, dan gaat het bij de echte voorstelling goed.

Lekker makkelijk gezegd.

'Lekker moeilijk om te doen, kind. Gaat het goed met je, Pauline?' Haar stem klonk lief. Oma zegt altijd dingen waar je blij van wordt. Ik voelde de tranen alweer.

Gelukkig komt ze kijken.

In de tuin zingen merels. Ik denk aan de dode merel uit het verhaal van Siem. Aan de heimwee van Ilja. Aan Boris. Ik wil alleen maar aan Boris denken. Aan zijn stem, zijn handen, zijn mooie fluitwijsje.

'Ik wil het verhaal van de witte neushoorn graag aan je vertellen,' heeft hij gezegd. Dat zei hij toch echt?

Ik wil weg uit dit huis waar Christientje woont. Ik wil naar Afrika, naar de steppe, naar de wilde dieren. Ik wil het luipaard zien en de witte neushoorn. Ik wil dat Boris mij vasthoudt en dat Christientje alleen maar dood is. Ik wil...

17

Het hoofd is verstand, het hart is vuur, de buik is genot. (geknipt door Erna)

Siem draagt een witte broek en een zwarte trui. Hij heeft zijn lange haar in een staart gebonden. De kleine accordeon van zijn voorstelling hangt op zijn buik.

'Allemaal klaar, even bij elkaar staan wie bij elkaar hoort. Grote inspectie. En denk erom, we hebben een soort van publiek. Luc mag meekijken, prinses Ilja is aanwezig, baby Jorik is present en ook een paar ouders. Kortom, dit is een superbelangrijke generale repetitie.'

In de aula zitten de eerste twee rijen stoelen vol mensen, onder wie Tina's moeder. Alles is opeens anders en ook veel echter en enger. We spelen verkleed en alles achter elkaar in de juiste volgorde.

'Zie je wel dat Siem echt met die Ilja is,' fluister ik in Erna's oor.

'Of hij speelt dit ook.' Erna knikt overtuigd. 'Dat zou me niet verbazen.'

'Als de baby brult gaat hij er ogenblikkelijk uit, wees daar gerust op.' Siem grinnikt. 'Maar meestal is hij stil en ik kan goed werken als hij erbij is. En mijn vriendin is mijn criticus, die keurt het geheel.'

Siem wijst naar Tina die in haar danspak staat te springen.

'Wat heb jij in vredesnaam met je haar gedaan?'

'Geknipt,' zegt Tina laconiek.

'Dat zie ik, dat had je beter niet kunnen doen. Goed, daar verzinnen we wel wat op. Tina misschien een pruik,' zegt Siem terwijl hij het op een kladje schrijft.

'Ik wil geen pruik,' zegt Tina, 'ik moest van mijn moeder naar de kapper, kan ik het helpen.'

'Moeders schaffen we af,' zegt Siem, 'en ik beslis of jij beter een pruik kan dragen. Toevallig is de regisseur de baas.'

'Barst,' zegt Tina zacht, 'ik doe het lekker toch niet, ik zet zo'n ding niet op mijn kop.'

De dansers hebben schitterende blauwglimmende pakken aan. De muziekgroep is in het knalrood. De kleine familie, Laura en Loes en Herman, dragen gele kleren.

De fee heeft een mantel aan van wel honderd verschillende kleuren en daaronder draagt ze een strakke jurk van zilverdraad.

'Die mantel heeft Ilja zelf gemaakt. Hij is heel kostbaar, dus voorzichtig, Pauline Puck.'

Ik knik, ik voel me gewichtig in mijn zilveren jurk. Ik heb heel goed gezien hoe Boris keek toen ik in de jurk tevoorschijn kwam.

'Waardig,' riep Siem, 'een fee loopt waardig, ze schrijdt, weet je nog, zo.'

Siem schrijdt over het toneel. Hij wordt twee keer zo lang. Het publiek begint enthousiast te klappen.

'Nu jij,' zegt Siem.

Ik moet drie keer heen en weer lopen over het toneel. Pas dan is het goed. Eerst alleen in de jurk en later nog met de mantel om en de grote hoed op.

'Jij bent een verschijning uit een andere wereld,' zegt Siem, 'ze moeten allemaal een beetje schrikken wanneer ze jou ontdekken.'

Het publiek geeft een applaus. Dan beginnen de dansers. De muziek knalt door de zaal.

Ik zie dat Luc zijn wenkbrauwen fronst en een vinger op zijn lippen legt. In de lokalen naast de aula is gewoon les.

'Schijt aan,' zegt Siem, 'we moeten nu oefenen zoals het in

het echt moet gaan, ja, jongens, kom op, laat zien dat je een lijf hebt. Ritme, ritme en nog eens ritme.'

De moeder van Tina heeft meegeholpen met kleren naaien. Waarom doet mijn moeder dat eigenlijk nooit? Die leest alleen maar.

'Tina nu! Solo!' Siem heeft nog nooit zo hard geschreeuwd als vanmiddag. Misschien is hij net zo zenuwachtig als wij allemaal. Tina moet de solo drie keer overdoen. Haar hoofd wordt steeds roder.

'Ja prima, fantastico, je hoeft geen pruik. Je moeder is zo stom nog niet. Hartstikke tof.'

Applaus vanaf de voorste rijen. De moeder van Tina steekt twee duimen omhoog.

Nu de muziek. Saxofoon, dan de scène van Laura. Spelen maar. Het gaat gesmeerd. Loes en Laura hoeven niets over te doen. Loes straalt van trots en buigt als er weer applaus klinkt.

'Stomme trut,' zegt Erna, 'die denkt dat ze de ster is, toevallig ben jij dat.'

De dansers gaan weer door. We zingen allemaal harder dan ooit.

'Fee,' schreeuwt Siem, 'slechte fee, drie keer door de dansers heen lopen, mooi, ja, opgelet, Erna, spelen jij.'

Erna is mooi als ze speelt. 'Die speelt met haar hart,' heeft Siem gezegd, 'zo hoort het. En ook met haar hoofd. Zonder hoofd is er geen hart. Zonder hart is er geen buik. Die drie horen bij elkaar.'

Ik loop tussen de dansers, ze cirkelen om me heen. Ik zie het gezicht van Boris steeds even heel dichtbij, dan Tina, dan anderen, dan Boris weer.

Erna speelt heel goed. Ik recht mijn rug. Nog even, dan valt de muziek stil, dan moet ik op de verhoging klimmen zodat ik nog groter lijk. Dan moet ik spreken. Zomaar alles door elkaar. 'Vanuit je hart, vanuit je buik, vergeet die kop maar even,' heeft Siem steeds geroepen.

Eergisteren ging het heel goed, er kwamen steeds nieuwe woorden. Ik loop langzaam richting verhoging. Ik schik de jas om mij heen. Ik sta recht, ik sta goed op beide voeten en laat mijn schouders ontspannen, borst vooruit, nek recht. Ik staar over de aula heen naar de vier grote ramen. Ik begin altijd met dezelfde zin en dan gaat het vanzelf: '*Het welgelegen Smalie teradie verianden, eventrytengerer, bali smalsa...*'

Achter alle vier ramen tegelijk verschijnt het gezicht van Christientje. Ze heeft een enorm hoofd. Ze grijnst en zwaait. Ze steekt haar tong uit. Ik hoor van alle kanten haar stem, een oorverdovende echo komt me tegemoet. 'Hé klein opdondertje, uitslover, hier is je wederhelft, Pauline, weet je wel Pauline, die slechterik, die zwarte heks... Ja spreek maar, spreek maar... Je kan het toch zo goed?'

Christientje is weer zeventien, ze heeft dezelfde blonde paardenstaart, ze heeft dezelfde knalrode lippen als vanmiddag. 'Pief paf poeeeeef,' roept ze. 'Hé jij, met je twee erwten op een plank, wat is dat voor een achterlijke jas?'

Het is opeens doodstil.

'Ja, de fee,' hoor ik Siems stem. Heel ver klinkt die.

Stilte.

Nog een keer.

'De fee!'

'Ik probeer iets te zeggen. Ik slik. Ik kan alleen maar slikken.

'Fee, schiet op, spreken,' sist Siem.

Ik heb geen adem. Ik heb geen stem. Ik heb helemaal niets meer. Ik ben doodsbang.

'Ga terug je foto in,' schreeuw ik, maar niemand schijnt mij te horen. Christientje lacht haar tinkeltjeslach. Ik hoor mama huilen, heel hard.

Ik voel het zweet over mijn rug gutsen. Ik zie allemaal tranen, rivieren vol tranen en mama ligt erin. Ze verdrinkt in haar eigen tranen. Ze verdrinkt net als Christientje. Ik wil haar redden, maar ze ziet me niet. Ze wil naar Christientje toe. Ze ziet mij niet. Ze hoort mij niet.

'Mama, mama.'

Ik schreeuw. Ik wijs naar de ramen.

'Ga weg,' schreeuw ik, 'ga weg, ga weg... daar...'

Ik zie dat alles zilver wordt, daarna geel, daarna veelkleurig. De jas van Ilja glijdt van mijn schouders. Ik moet oppassen, het is een kostbare jas. Ik hoor een baby huilen.

Christientje maakt een lange neus door alle ramen heen. Haar vingers grijpen mij vast. Nee, het zijn Christientjes vingers niet. Het zijn de handen van Boris. Hij tilt me op draagt me weg, hoog boven de dansers uit. Ver weg. De wereld af.

'Ik wil niet verdrinken,' fluister ik in zijn oor. Het wordt zwart. Alles is zwart. Waar ben ik?

18

Ik lig op de bank in onze kamer. Naast mij staan druiven en een kan appelsap. Er liggen twee boeken, maar ik heb geen zin om te lezen.

Papa en mama werken. Harm is naar school. Oma Pauline zit aan de grote tafel en schilt appels om moes te maken. Zo nu en dan kijkt ze naar me en glimlacht. 'Van die grote goudrenetten, daar hou je zo van. Rust je een beetje uit, hartendief van me? Opa komt ook eten, die vindt er niks aan in zijn eentje.'

Ik knik, ik heb geen zin meer om te praten. Ik heb al zoveel gepraat.

Met mama en papa, met onze huisdokter, met Harm en met Erna en Tina.

De huisdokter heeft mij een pilletje gegeven om te slapen. Volgens mama heb ik zestien uur achter elkaar geslapen. Er is een hele dag voorbij gegaan en ik ben er gewoon niet geweest.

Morgen is de musical.

Ik pak mijn dagboek dat naast me ligt. Opeens heb ik geen zin meer in de bank, in een plaid over mij heen, in druiven en boekjes. Ik ben niet ziek.

'Ik ga in de tuin zitten, het is hartstikke mooie weer. Waarom zit jij binnen?'

'Ik wil bij jou zijn,' zegt oma.

'Ben je aan het oppassen? Belachelijk. Weet je hoe oud ik ben!'

'Ik noem dit geen oppassen maar gewoon bij elkaar zijn.'

'Het is overdreven.'

'Misschien, maar ook wel fijn.'

Ik loop naar haar toe, geef haar een zoen op haar witte krullen. Ze ruikt lekker.

'O, die gekke lieve Paulientje Puck,' zegt ze zacht, 'die geeft de hele familie een zet in de goeie richting.'

'Echt?'

'Ik weet het zeker, sommige dingen weet ik nu eenmaal zeker. Geloof het maar.'

Ik wil haar graag geloven.

'Geloofde Christientje eigenlijk ook alles? Zij had tenminste echt wit haar. Ik ben en blijf maar nep.'

Oma Pauline doet alsof ze mij niet hoort.

'Ik ga me aankleden,' zeg ik dan opeens. 'Ik heb geen zin meer in die bank. Heb ik vanochtend weer zo geslapen?'

'De hele ochtend, ouwe slaapkop.'

'En was jij de hele tijd hier, zo vroeg al?'

'Ja, zo vroeg al.'

'Wat lief van je.' Ik geef haar nog een kus.

'Gewoon omdat ik je begrijp,' zegt ze.

'Tof,' zeg ik. 'Jou hoef ik dus niks uit te leggen.'

'Nee lieverd, helemaal niks. Het is wel goed dat je je gaat aankleden. Om vier uur komen Siem en Boris hier, die belden net. Ze willen je iets vragen. Mama is ook vroeg thuis, ze willen ook iets aan haar vragen.'

'Wat dan?'

'Ik heb geen idee, ik heb gezegd dat het goed was, en dat jij om vier uur thuis zou zijn.'

'Ze komen hier?!'

Ik ruk het plaid van de bank. Ik leg de druiven terug op de fruitschaal. Ik duw de boeken in de kast. Het glas water verdwijnt samen met een rol koekjes en een potje thee in de keuken.

'Boris, komt Boris ook?'

'Of was het Joris? En Siem.'

'Ik ken helemaal geen Joris, dus is het Boris, wat gek dat hij hier naartoe komt.'

Ik voel dat ik bloos. Ik voel de ogen van oma Pauline in mijn rug.

'Wat is dit voor opruimaanval, moet ik soms ook weg?'

'Eigenlijk wel. Ik ga wel in de tuin zitten, dan kun je blijven.'

We schieten allebei in de lach.

'Wat heb jij met die Siem?'

'Ik geloof dat ongeveer alle meiden op Siem zijn, maar ik toevallig niet.'

'O, jij dus op Boris.'

Ik doe net alsof ik het niet hoor en ren de kamer uit, de trap op. Op de overloop hangt een enorme foto van de zeilboot in Griekenland, een vakantiefoto van ons vieren. Papa en Harm staan in korte broeken op de voorkant van de boot. Mama en ik zitten naast elkaar in bikini's op het achterdek met opgetrokken knieën en lachende gezichten. Mama draagt een witte pet. Mijn rode krullen waaien als een vlag om mij heen. We zijn alle vier donkerbruin. Waar zijn de andere foto's? Waar is Christientje gebleven?

Ik ren de trap weer af. De tuindeuren staan wijd open. Oma Pauline staat in de keuken.

'De foto's zijn weg.'

'Ja, die zijn weg. Of weg zijn ze niet, ze hangen in je ouders' werkkamer op zolder. Je vader heeft deze foto gisteren laten uitvergroten en je moeder heeft hem ingelijst. Ze wilden dit samen zo. Dit is het leven van nu, daar moeten we elke dag naar kijken, dat zeiden ze vanochtend. Het lijkt mij een goed idee.'

'Om mij? Dat wil ik niet. Mama is gek op die foto van Christientje.'

'Ze hangt in de werkkamer, ze ziet jullie drie foto's elke

dag. Christientje staat op haar bureau beneden en in de slaapkamer. Te veel altaren voor iemand die overleden is, is gewoon niet goed. "Te" is nooit ergens goed voor.'

'Ouwe wijze toverkol.'

'Verliefde flapdrol.'

Ik ga weer naar boven. Ik kijk heel lang naar de foto van de boot. Mama ziet er prachtig uit, ze lacht. Ze lijkt gewoon gelukkig, ze houdt van zon en water, van ons. Ze heeft een groene bikini aan, net als ik. Ze heeft op die zeiltocht heel veel verhalen verteld. De zee weet alles, die vertelt verhalen, zegt ze altijd. Over haar grootvader die zeeman was. Over de vuurtorens in Schotland waarin ze als kind heeft gelogeerd. Over de oceaan en hele grote golven. Ze heeft alle namen van de vissen aan mij geleerd. De windstanden, de namen van de sterren. Ze kan zeilen zoals geen moeder dat kan. Waarom denk ik daar nooit aan? Ik hoor opeens de stem van oom Brandje in mijn hoofd: Jouw moeder is een fascinerende vrouw, spannend ook, hoe die kon zeilen.

Ik loop heel zachtjes de tweede trap op, naar de zolder. Ik duw voorzichtig de deur van de werkkamer open en zie hoe de drie foto's aan de muur hangen. De volgorde is omgedraaid. Ik hang nu links, Harm in het midden en rechts Christientje.

Op mama's bureau staat een fototje van mij, ongeveer vastgeplakt aan haar laptop. Stond dat er altijd al? Ik staar naar mijn rode krullen en opeens verlang ik ernaar weer gewoon Puck te zijn. Maar ik hoor meteen de stem van Pauline: 'Doe niet zo onwijs kinderachtig, Puck, echt zo stom van je.'

Ik kijk heel lang naar de foto van Christientje. Er gebeurt niets, ze lacht gewoon, ze heeft een mooie rij kleine melktanden. Dan kijk ik naar de foto van mezelf. Ik ben veranderd, zie ik, en het komt niet door het witte haar. Ik ben zelf veranderd.

Mijn hart begint raar te bonken, ik moet weer aan Boris denken. Ik ren de kamer uit, de trap af naar mijn eigen kamer.

Ik pas alle kleren die ik heb. Niets staat goed. Uiteindelijk kies ik de witte broek en de witte trui, de rode laarzen en de rode haarband.

Ik hoor mama thuiskomen en druk met oma praten. Hoe zou Boris het hier vinden, wat komt hij eigenlijk doen? Samen met Siem, dat is niet normaal. Ze moeten niet denken dat ik morgen kom, dat ik in de zaal ga zitten kijken. Nooit niet. Niente. Ik blijf gewoon thuis.

Ik doe een beetje lippenstift op, en maak mijn ogen op met groene oogschaduw. Mijn witte haar lijkt alweer iets minder wit. Of is mijn huid witter? Ik heb kringen onder mijn ogen.

Ze moeten niet denken dat er iets met mij aan de hand is, dat moeten ze vooral niet denken.

Ik ren de trap weer af en gris mijn dagboek mee. Het beeld van de boot met vrolijke mama schiet weer voorbij. Binnen zitten oma en mama koffie te drinken, het ruikt naar verse appeltaart.

'Gave foto hangt er,' zeg ik.

Mijn moeder knipoogt.

Ik pak een groot stuk taart en verdwijn naar de tuin. Achterin is een prieeltje met lekkere stoelen en een grote tafel. Ik open mijn dagboek. Wat heb ik gisteren in vredesnaam geschreven?

19

DAGBOEK

Mama vertelde dat ik flauw ben gevallen op school in mijn zilveren jurk. Dat een jongen uit mijn klas mij heeft opgevangen. Dat het leek of ik ergens bang voor was. of het voor de orakelspeech was, want dat is helemaal niet gek, zei ze. 'Wie houdt er nou zo'n gekke speech, het was misschien een beetje teveel gevraagd, misschien niet zo'n goed idee van die Siem.' Mama keek bezorgd. Ze begreep er niets van. Ik kon alleen maar schreeuwen en slaan, op de tafel met mijn vuisten. Heel hard.

Tot papa mij beetpakte en heel dicht tegen zich aan trok. Hij nam mij als een klein kind op schoot. Hij schudde mij heen en weer en pakte mijn gezicht tussen zijn handen. Ik vond het fijn dat hij dat deed.

Hij wilde per se weten wat er aan de hand is met 'die lieve Puck van ons. Wát is er met jou?'

Ik schreeuwde dat het Christientje was. Dat ze van de foto wegliep, dat ze echt zeventien jaar was geworden en dat ze in ons huis ronddwaalde. Dat ze me pestte.

'En jij, jij verdrinkt.' Ik wees naar mama. 'Ik heb het zelf gezien. Christientje kwam het mij vertellen. Ze kwam op school, ze stond voor de ramen. Ze... ze... mama, mama, jij hoort mij niet.'

'Maar lieve Puck, ik verdrink toch niet,' zei mama.

Ik zat opeens bij haar op schoot. Ik verborg mijn hoofd in haar hals. Ik rook een geur die alleen mijn moeder heeft, een bloemengeur, heel licht zoals warme zomeravonden ruiken. Iets warms stroomde door mij heen. Ik voelde hoe mama mij vasthield en streelde. Ik voelde de warmte van mama en ook van papa die zijn armen om mij en mama heen sloeg.

'In je tranen verdronk je, je bent al verdronken' zei ik, 'je bent er nooit echt.'

Toen was het heel stil in de kamer. Harm was binnengekomen en zat in elkaar gedoken op de bank. Ik hoorde de klok tikken, de vogels buiten fluiten en opeens hoorde ik het fluitje van Boris. Het was er niet echt, maar ik hoorde het wel. Opeens gleed er iets heel naars van mij weg en zag ik hen alle drie zitten, heel dicht bij mij.

'Ik hou van jullie,' zei ik bibberend.

'Wij van jou, Spettertje,' zei Harm. Hij werd helemaal rood en ging chocolademelk maken die we allevier slurpend opdronken.

'Wij van jullie,' zei mama.

Toen hebben ze mij als een baby naar mama's bed gebracht. Mama is naast mij gaan liggen. Papa bracht twee kruiken en zei dat je soms, op heel bijzondere momenten, op de plek van je vader mocht slapen. Zo'n moment was nu. Hij zei dat we morgen gewoon met z'n vieren op een andere manier verdergaan. Dat kan volgens hem. 'Na elke gebeurtenis, hoe moeilijk ook, moet je weer proberen verder te gaan. Wij horen bij elkaar. We gaan alle vier nadenken over hoe we verder gaan. En jij Puck, je bent een dappere meid om ons dit te vertellen, het komt goed. Wacht maar, nu wij nog.'

Papa zoende me op mijn wangen. Mama zei niks, ze streelde me alleen maar. Ze was heel dichtbij en ik was stiekem blij dat ze me niet meer losliet.

Toen gingen Harm en papa schaken. Papa zei: 'Als jullie iets nodig hebben spelen wij voor butler.'

We hadden niets nodig. We lagen als lepeltjes, dicht tegen elkaar aan. In het donker fluisterde mama: 'O, lieve Puckie, wat ben ik blij dat je dit hebt verteld. Het komt echt goed, geloof het maar, geloof me maar.'

Ze huilde niet. Het was heel lang geleden dat ze mij Puckie had genoemd.

Ik wilde haar geloven.

20

Geluk is dat niets je hindert. (geknipt door Pauline en Puck)

Ver weg klinken de stemmen van mama en oma Pauline. Ik sla mijn dagboek met een harde klap dicht.

Morgen is de musical. Ik ga er niet heen, ik ga nooit meer naar school. Iedereen vindt mij daar natuurlijk stom.

'Soms worden dingen bij elkaar opeens te veel,' heeft de huisarts gezegd. 'Rouw overvalt, zoals dat ook bij je moeder steeds weer gebeurt. Ze wil het niet, het overkomt haar gewoon. Maar ook bij jou gebeurt het. Jij rouwt omdat je moeder rouwt, je bent met je zusje de concurrentie aangegaan. Maar het is tijdelijk, geloof me, dit gaat vanzelf weer over, Puck.'

Het werd even onheilspellend stil.

'Zo zal het niet meer gaan, Puck heeft mij wakker geschud,' zei mama. Haar stem klonk overtuigend en vreemd helder. 'En ze heeft me ook van iets bevrijd.' Ze lachte op een manier die ik nog nooit van haar had gezien, een beetje verlegen. Ze kwam dicht naast mij staan.

Ik wist niet precies wat de dokter met concurrentie bedoelde. Ik durfde ook niet te zeggen dat hij mij Pauline moest noemen.

'Eerst maar eens heel goed slapen, dan ben je weer uitgerust voor school.' De huisarts keek naar mij als naar een kind. Ik kreeg twee pilletjes voor twee nachten.

'Daar ga ik niet meer naartoe, naar die school,' zei ik. 'Wat denken jullie wel.'

Niemand gaf antwoord.

'Dat witte haar heeft ook te maken met concurrentie,'

hoorde ik de huisarts bij de voordeur tegen mama fluisteren.

Concurrentie...? Dat is wedijveren, beter willen zijn. Doe ik dat? Daarover heb ik heel lang met Erna en Tina gemaild.

Opeens mag ik de hele tijd op de computer van Harm werken. Iedereen is aardig en dat is eigenlijk eng.

Stomme Christientje, ik vind helemaal niet dat mijn witte haar concurrentie is, die huisarts begrijpt er niets van. Ik wil opeens mijn rode haar terug.

Ben jij nou gek, hoor ik Pauline zeggen, je bent toch Pauline, nou, die is wit, dat wil je toch?

Tina vindt het eng wat er is gebeurd. Ze wil dat alles heel gauw gewoon wordt. Erna niet. Ze mailt hele verhalen over kinderen die een broertje of zusje hebben verloren en wat er dan met de andere kinderen kan gebeuren.

Je bent een geval!!! schrijft ze met drie uitroeptekens. *Voer voor een psycholoog, voer voor zielenkijkers, die dan bedenken wat je allemaal voelt. Ik ben ook een 'geval,' zo een met een weggelopen moeder. Maar ik moet zeggen: mijn vader heeft gelijk, ik begin mijn moeder leuk te vinden. Ze kan heel gek doen. Ik heb besloten te doen alsof het niet mijn moeder is, want ik wil altijd jouw moeder hebben of die van Tina. Ze is gewoon een soort vriendinmoeder van 56, maar wel een interessante. Hoe kunnen we Tina ook een 'geval' maken? Dan heten wij voortaan 'de drie gevallen onder één PET', PuckPauline, Erna en Tina.*

Ik heb een heleboel kleren voor je, mijn moeder koopt zich te pletter voor mij. Ze zegt dat Amsterdam niet onderdoet voor Rome. Ik heb stapels nieuwe dingen. Kom gauw kijken. We gaan echt naar Rome deze zomer. Dat is toch goed, heb je het thuis al gevraagd?

Ik vraag helemaal niets voorlopig. Ik wil geen geval zijn, maar elke keer als ik lees wat Erna schrijft komt er een gekke kriebellach en vind ik Christientje opeens onbelangrijk.

Wat komen Siem en Boris hier eigenlijk doen? Ik moet

weer raar slikken, het voelt alsof ik geen adem krijg. Ergens diep zitten tranen die ik probeer tegen te houden. Siem komt natuurlijk afscheid nemen en vertellen wie de fee gaat spelen. En Boris dan? Ik heb het opeens koud en warm tegelijk. Ik wil helemaal niet dat Boris mij ziet.

'Telefoon, Puck, voor jou,' roept mama vanuit de kamer.

Ik ren naar binnen, gris de telefoon uit haar handen en vlucht weer terug naar het prieeltje.

Het is Tina. 'We hebben een goed plan bedacht, nee luister, echt steengoed.'

'Wat dan, wat bedoel je?'

'Ik kan het niet zeggen, maar Erna en ik willen dat je weet dat wij het eigenlijk hebben bedacht. Siem komt toch zo naar je toe en ook Boris?'

'Ja, waarom eigenlijk? Weet jij dat?'

'Ja, om ons plan, Erna en ik hebben trioPET gedaan, met z'n tweeën, soms moet dat, nu eens over jou en we hebben iets bedacht. Supergoed. Je hoort het zo.'

'Doe niet zo stom, vertel het gewoon.'

'Nee, mag niet van Siem, die doet onwijs arrogant.'

'Ik wil het weten.'

'Bel als ze weg zijn, dan komen wij direct naar je toe.'

'Erna ook,' schreeuwt Erna op de achtergrond.

'Puck, de bel, bezoek voor je,' hoor ik mijn moeder roepen.

'Ik heet Pauline,' snauw ik als ik haar voorbij loop naar de voordeur.

Oma Pauline schiet in een harde schaterlach.

'Die meid is onverbeterlijk,' zegt ze.

We zitten met z'n drieën in het prieel, om de tafel. Siem draagt een gekke kleurige pet en een knalgele oorbel. Boris eet zwijgend van de appeltaart die mama voor ons heeft neergezet.

Ik schenk thee en voel me alsof ik bij mezelf op visite ben, mijn wangen en mijn hals worden steeds warmer.

'Wat een waanzinnige tuin midden in de stad,' zegt Siem. 'Echt helemaal te gek zeg, dat moet ik nog maar eens zien waar te maken voor mij, de Russische prinses en voor Jorik. Ongelooflijk, wat een ruimte, dat is meer dan ons hele huis bij elkaar. Mag ik nog een stuk appeltaart?'

'We wonen hier al heel lang. Ik ben hier geboren,' zeg ik om iets te zeggen.

'Ik ben in Friesland geboren,' vertelt Siem. 'Ik kom zo bij de koeien vandaan.'

'Ik in Afrika bij de wilde dieren vandaan.' Boris geeft mij een knipoog. 'De witte neushoorn liep vlak bij ons huis.'

'Oké, dan,' zegt Siem, 'maar nu komen wij tot de zaak waarvoor wij hier zijn. Ik heb gehoord dat jij niet meer naar school wilt, dat jij niet meer in het stuk wilt meespelen, klopt dat?'

Ik krijg het bloedheet, ik probeer niet naar Boris te kijken. 'Klopt. Ik ga niet nog eens voor paal staan. Ik heb het gewoon verpest. Wie wordt nu de fee?'

'Jij en niemand anders, daarom zitten we hier,' zegt Siem.

'Ik denk er niet over. Ik doe het gewoon niet meer.'

'Luister,' zegt Siem, 'ik vraag je in ieder geval te luisteren naar ons plan. Jij hebt een heleboel keren die orakelspeech gehouden, en dat ging hartstikke goed, we moesten iedere keer weer krankzinnig lachen om hoeveel gekke woorden jij aan elkaar kon breien. Bij de generale ging het mis. De speech bleef in je keel steken. Daar gaan we helemaal niet dramatisch over doen. Dat gebeurt vaak. Als jij eens wist wat er in mijn keel allemaal is blijven steken in al die voorstellingen, dat wil je niet weten, hoef je ook niet te weten.'

'Maar ik doe het niet,' zeg ik weer.

Ik kijk naar Boris' handen, naar de kleine blonde haartjes.

Ik zie dat hij een ring draagt met een blauwe steen. Die ring heb ik nooit eerder gezien.

'Heb jij mij opgevangen toen ik flauwviel?' Ik schrik zelf van mijn vraag, maar ik wil weten of het waar is wat Erna en Tina mij hebben verteld.

Boris knikt. 'Ik zag je wankelen, ik ving je op, ik droeg je weg zoals moet in het stuk, daarna pas ben je echt flauwgevallen, maar niet gevallen dus.' Boris stem klinkt heel gewoon, hij glimlacht. 'Je viel dus niet echt,' zegt hij nog een keer.

'Drama.' Siem knikt opgewekt. 'Dat hoort erbij. Die hele generale was een drama. Tina was volkomen uit de maat. Laura was niet te verstaan en jij, Boris, jij danste echt als een aap, je zat alleen maar naar die spannende fee te kijken. En dan die vreselijk mentor van jullie, die zeurde dat de muziek veel te hard was. Tot drie keer aan toe. Ik dacht, ik ren weg en kom nooit meer terug.'

'Dacht je dat echt?' Boris en ik vragen het tegelijk.

'Generale repetities zijn bijna altijd een ramp. Nee, ik loop niet weg, zijn jullie nou gek, ik vind het hartstikke leuk bij jullie. Maar kijk Pauline, we hebben dit bij ons.'

Siem haalt een enorm vel papier uit een koker en spreidt dat uit op het grasveld. Ik zie rode letters in een groot handschrift.

Het welgelegen Smalie teradie, eventrytengerer, bali smalsa. We verdeden kunst en knauden Seewater stormt in die lagen van wadeereenden, fluiteenden, mariekols en slangveters. Smalsie en daarbie wij dunnen, aanleg, tik seg ik, fast nie kom nie...

'Hé, dat is mijn orakelspeech, ik heb nooit iets opgeschreven, hoe kan dat nou?'

'Magie, magie,' roept Siem vrolijk. 'Kijk, het zit zo, in jouw groep zit deze Boris en die heeft in zo'n heel klein miniboekje de allereerste keer al woorden van jou zitten opschrijven. En elke keer als jij die speech weer hield schreef hij weer nieuwe woorden erbij. We hebben dus al die speeches door elkaar gehusseld, we hébben gewoon alles.'

'Ik vond al die woorden zo leuk, ik wou ontdekken welke talen het allemaal waren,' zegt Boris. 'Ik weet ook niet waarom ik het deed. Ik deed het gewoon.'

'Waarom zal ik niet vragen,' zegt Siem. 'Daar heb ík niks mee te maken, maar die fee des te meer, denk ik. Maar Pauline, we hebben dus die tekst. Nou heb ik het volgende bedacht, we hangen die tekst op zodat jij hem gewoon dreunend kan voorlezen. En afwisselend laten we dat mooie fluitdeuntje van Boris erbij klinken. Niemand hoeft te verstaan wat er gezegd wordt. Het gaat om de klanken. Jij hoeft nergens bang voor te zijn. Voor mijn part dreunen jullie samen die tekst op. En als je opeens toch weer een hele nieuwe tekst uit je mouw schudt, ook best. Nou? Goed plan?'

Het is even heel stil op het grasveld. Ik staar naar de letters op het grote vel dat zachtjes wappert op het gras. Ik zie allemaal vertrouwde gekke woorden terug.

Een ijskonijn met oren zo groot als die van juffrouw Slabiet. Een verglaasd ijskonijn met barnstenen ogen en een staart van kamelen haar. Hij kijkt je recht aan en zegt, Slamiel, dwarspisser van me, ga, ga nu, ga ogenblikkelijk.

Ik zie de grote zwarte sportschoenen van Boris vlak naast de woorden die hij heeft opgeschreven.

'De hele groep wil dat je komt. En ik wil het helemaal,' zegt hij. Die woorden klinken na. Ik bijt op mijn lip, weer is er een mist van tranen.

'Vergeet je vriendinnen niet, die zijn bij mij komen pleiten. Weet je wat Erna zei: als jij alles kunt bedenken dan kun je hier toch zeker wel een oplossing voor bedenken? Je laat de belangrijkste speler toch niet zomaar wegblijven, je doet maar iets. Maar Pauline, zij hebben samen verzonnen om het groot op te schrijven, ze wilden die tekst voor je maken. En toen kwam Boris met zijn boekje.' Siem zucht.

Ik zie opeens de zilveren jurk weer voor me. Ik zie hoe Boris keek toen ik voor het eerst in die jurk uit het gymnastieklokaal kwam.

'Niemand zal die zilveren jurk zo goed staan,' zegt Boris.

'En vergeet de mantel van de Russische prinses niet,' lacht Siem.

'Ik doe het, we doen het,' zeg ik. 'Maar in de aula moeten de gordijnen dicht.'

'Natuurlijk gaan de gordijnen dicht.'

'Dan doe ik het,' zeg ik nog een keer.

Er klinkt een indianengehuil in de tuin. Siem geeft mij een dikke klapzoen op mijn ene wang, en nog een op mijn andere. Hij trekt me uit mijn stoel. We maken samen een vreugdedans over het grasveld, terwijl Boris begint te fluiten.

'Ik heb echt nog nooit iemand zo mooi horen fluiten,' zegt Siem. Hij pakt het vel papier en rolt het weer op. 'Waar zitten je ouders, Pauline?'

'Binnen.'

'Mooi, ik ga er even naartoe, blijven jullie maar hier.' Siem beent met grote stappen weg.

Het is stil. Ik kijk Boris niet aan.

'Ik heb het van Tina gehoord,' zegt hij dan.

'Wat, Tina?'

'Nou, van die hallucinaties.'

'Hallucinaties?'

'Ja, dat je iemand ziet die dood is. Dat het echt lijkt alsof ze er gewoon weer is. Je zusje. Ze is toch verdronken? Tina vertelde het me. Dat je daar last van had. Ik snap het, ik zie soms mijn broertje, die is ook dood. In Afrika was dat. Hij is door een gifslang gebeten. Soms denk ik dat ik hem zie lopen. En dan is hij weer weg. Ik was toen negen jaar en hij vijf.'

'Wat gruwelijk, een slang,' zeg ik.

'Het was ook gruwelijk, het gekke was, hij hield veel van slangen.'

We zitten even zomaar stil bij elkaar.

'Ik heb iets voor je.' Boris schuift een houten beestje over de tafel naar me toe. Het is een grijswit neushoorntje aan een leren bandje.

'Een mascotte. Die moet je morgen omdoen, dat helpt voor alles en ook tegen alles. Ik geloof in de witte neushoorn.'

'Je had er een verhaal over.'

'Ik zal het vertellen, maar niet nu.'

Siem loopt al zingend over het gras naar ons toe. 'Ziezo, de klus is geklaard. Ik heb tegen je moeder gezegd dat jij absoluut wilt spelen. Nou, dus het is goed. Nu geen getob meer, het toneel hangt van improvisatie aan elkaar. Ik neem die koker mee en om zes uur morgen allemaal present.'

Ik stop het neushoorntje snel in mijn zak. 'Ik doe het morgen om,' fluister ik in Boris' oor.

'Ik moet nu als de sodeju vertrekken, de Russische prinses gaat dansen vanavond en ik heb babywacht. Trouwens, Ilja speelt op de accordeon als de mensen binnenkomen. Goed idee? Kom op Boris, mee jij, we laten de fee alleen. O, wat zal Ilja het fijn vinden dat je terugkomt, Pauline. Ze vond je echt te gek.'

Als ze weg zijn blijf ik nog een hele tijd in het prieel zitten. Ik haal het neushoorntje uit mijn zak en ruik eraan. Het ruikt naar Boris, naar zijn haar.

21

De aula is al vol met scholieren, ouders, leraren. Terwijl er nog steeds mensen binnenlopen, wandelt Ilja heen en weer met de accordeon en speelt terwijl ze vriendelijk lacht.

'Kijk die prinses van mij nou,' glundert Siem achter de dichte gordijnen, 'ze betovert de zaal, dat doet ze altijd. Bomvol jongens, echt te gek, hoeveel leerlingen zitten hier eigenlijk op school, het houdt gewoon niet op. Haha, moet je die mentor Luc van jullie zien, pontificaal op de eerste rij. Wat een kakmeneer is dat zeg.'

We staan allemaal opgesteld op het toneel, ik helemaal achteraan. Wanneer de gordijnen opengaan moet ik gauw weglopen in het zijgordijn, ik kom pas na de tweede scène.

Mijn zilveren jurk zit als een slangenhuid om mij heen, Erna heeft de mantel om mij heen gedrapeerd en mij even heel streng aangekeken. Zonder iets te zeggen zegt ze: je kan het, denk erom, geen fratsen jij.

'Pauline, Boris, daar hangt de speech, goed leesbaar vanaf de verhoging. Oké zo?' Siem kijkt mij even onderzoekend aan.

'Helemaal goed,' zegt Boris.

Ik knik alleen maar. Opeens voel ik weer hoe griezelig ik het vind. Tina knijpt in mijn arm en fluistert in mijn oor dat ze heel bang is om te vallen.

'Je valt nooit, vanavond ook niet, je moet dansen als een tierelier en je weet waarvoor.'

Tina knikt. We weten dat ze naar een dansschool wil en dat haar ouders het niet goed vinden. 'Misschien denken ze er na vanavond wel anders over,' heeft Erna gezegd, 'wacht maar. En anders stuur ik mijn vader op ze af, die kan heel goed voor iets pleiten wat hij zelf belangrijk vindt. Zo goed dat je je belachelijk gaat voelen als je het niet doet.'

Ik heb de kleine witte neushoorn om mijn hals hangen. Boris ziet het meteen en geeft een knipoog. Het is net alsof we een verbond hebben samen.

'Wat heb jij om je nek hangen?' zegt Siem.

'Mascotte,' zeg ik stoer.

'Niet zomaar een, de witte neushoorn,' lacht hij, 'hallo, de allerbelangrijkste der wilde dieren.'

Er is geen tijd om te vragen wat hij bedoelt. Eén van de dansers is uit zijn broek gescheurd en staat in zijn onderbroek te wachten tot een hulpmoeder de broek weer heeft genaaid.

Ik gluur door de spleet van het gordijn. Op de vijfde rij zie ik de moeder van Erna druk met mama praten. Erna's moeder heeft een vuurrode jurk aan en een zwarte stola om, ze ziet er prachtig uit. Mama ziet er ook spannend uit in haar witte rok en blouse en de knalrode kralen. Oma Pauline en opa Bert zitten arm in arm, ze lachen samen, vlakbij hen staat Ilja te spelen. Oom Brandje is er, hij zit naast papa, ze zwaaien naar Harm die met een stel vrienden aan de zijkant van de aula is gaan zitten. De ouders van Tina en haar kleine broertjes zitten ook aan de zijkant.

Iedereen denkt gewoon dat alles goed gaat. Ik snak naar adem en voel hoe snel mijn hart tekeergaat. Ik kijk naar de hoge ramen van de aula waarvoor de gele gordijnen zijn dichtgeschoven. Nergens is Christientje.

Het is warm in de zaal. Ik kijk hoe Boris mijn kant op komt en vlakbij gaat staan. Hij ziet er mooi uit in de blauwe danskleren.

Even, bijna onmerkbaar steekt hij zijn duim op. Ik doe precies het zelfde. En voel dan aan het hout van het witte neushoorntje.

'Ssst, speech van de directeur, laatste roffel van de prinses, allemaal doodstil jullie op het toneel. Wachten op mijn teken.' Siem legt zijn vinger op zijn mond. 'Ssst.'

'Beste ouders, beste kinderen, welkom allemaal. Vanavond hebben we een heel bijzondere musical die een groep leerlingen heeft geschreven onder de bezielende leiding van Siem Huizinga. Applaus voor onze toneelspelers, dansers, en muzikanten...'

Er klinkt een keihard applaus en gefluit. De gordijnen gaan heel langzaam open.

'Weg jij,' zegt Siem en wijst naar mij.

De muziek barst los en de dansers zwieren in volle vaart over het toneel. Ik kijk naar Tina die als een wervelwind in het midden danst.

Opeens staat Ilja naast mij en ze slaat een arm om mij heen.

'Die jas staat echt fantastisch,' zegt ze zacht.

Ik knik. Ik knijp in het neushoorntje. Nog even en dan moet Tina haar solo dansen, nog drie akkoorden. De dansgroep trekt zich langzaam terug. De muziek verandert en Tina danst helemaal alleen dwars over het podium. Ik zie hoe rood haar wangen zijn, ik zie hoe Erna vanuit de andere kant van de gordijnen een duim opsteekt. Het gaat goed, het gaat fantastisch. Er klinkt een daverend applaus, Tina moet nog een keer terugkomen en buigen, weer terugkomen weer buigen.

'Super!' roept Siem dwars door het applaus heen. Tina rent het toneel af en ploft naast mij tussen de gordijnen.

'Super,' zegt Siem nog een keer. 'Laura, Loes, Herman, klaarstaan, ja, draaien maar.'

'Mijn God,' zegt Tina naast mij, 'ik viel bijna, zag je dat?'

'Ik zag er niets van.'

'Ik wil alleen maar dansen,' zegt Tina. Ze straalt en is dan opeens volkomen verdiept in het spel van Herman. 'Wat is hij goed, hè?' Ze knijpt in mijn arm.

De scène is zo weer voorbij. De dansers nemen het toneel weer in.

'Nu jij, Pauline!' Siems ogen lijken licht te geven. 'Alles is goed,' fluistert hij nog, 'schrijden, weet je nog, schrijden...'

Ik begeef me tussen de dansers. Ik schrijd voor ze langs, heen en weer over het toneel. Ik zie het gezicht van Boris steeds even dichtbij, dan danst hij weer weg. Ik zie het gezicht van mama op de foto van de zeilboot, ze lacht, ze lacht naar mij. Ik voel mijn hart tekeergaan.

Ik loop langzaam naar de verhoging toe, de muziek neemt af, Boris staat naast mij. Voel ik het goed, ik voel zijn hand in mijn rug, heel zacht. Hij staat pal achter mij. De muziek houdt op. Het wordt doodstil in de zaal. Ik zie mama zitten in haar witte blouse, alles is wit. De gordijnen zijn ook wit. Waar hangen nou de letters van de speech, ik zie helemaal geen speech, ik zie helemaal niets.

Dan hoor ik het fluitje van Boris. Het is een wijsje, verleidelijk, mooi, vreemd, een beetje droevig. *Hallucinaties*, hoor ik Boris opnieuw zeggen, *de witte neushoorn... Het verhaal.* Welk verhaal?

Ik recht mijn rug. Ik haal diep adem en open mijn mond. Dwars door het fluiten heen moet ik. '*Het welgelegen Smalie teradie verianden, eventrytengerer, bali smalsi. We verdeden kunst en kanuden...*' Mijn stem wordt harder, ik weet zoveel woorden, zoveel talen, zoveel onzin, ik praat maar door, bezwerend, ik moet de dansers bezweren, de hele familie uit het toneelstuk, iedereen. Ik blaas woorden, ik spuit woorden. Christientje moet niet denken dat ik niets meer weet, ik weet juist nog veel meer woorden.

Is dat alleen mijn stem of ook die van Boris? Ik heb bijna geen adem meer, toch ga ik nog door. Ik knal met woorden, ze spetteren over het toneel. Ik hoor lachen, steeds meer lachen, steeds harder. Ik ga ook harder.

Weer klinkt het fluitje van Boris en dan is er een daverend applaus.

'Naar voren lopen, buigen,' sist Siem ons toe.

Boris pakt mijn hand, ik spring van de verhoging. We buigen samen.

Ik hoor een harde fluit van Harm, hij is gaan staan. Als het gordijn valt geeft Boris mij een zoen, zomaar, achter mijn oor.

Ik geef er een terug.

'Kijk dat nou,' hoor ik Siems stem op de achtergrond.

22

DAGBOEK

Na de musical was er een knallend feest. Ik heb heel veel met Boris gedanst en ook twee keer gezoend. Zoenen is lekker en ook een beetje vies.

Boris is geheimzinnig. Morgen hebben we afgesproken in het Vondelpark. We gaan skaten.

Mama huilde en lachte tegelijk. 'Dondersteen,' zei ze,' wat kan jij ongelooflijk oreren, zeg.'

Harm zei dat ik kan lullen als een gieter. Ik zag dat hij trots was.

Oma Pauline kneep mij zachtjes en zei dat ze nooit aan mij getwijfeld had. Ze wist dat ik de tekst niet zou lezen, dat ik gewoon weer van alles zou verzinnen, dat wist ze gewoon.

'Pauline Puck of Puck Pauline is gewoon een dappere dodo en een fantastische fee,' zei Siem. Hij danste heel mooi met Ilja, een tango.

Boris zei dat hij dat ook wilde leren.

Toen pakte oom Brandje opeens mama beet en begon met haar ook de tango te dansen.

'Kan jij zeker niet, pap,' zei Harm plagend.

Papa schoot in de lach en zei dat hij niet alles kon. Maar even later danste hij met mama ook de tango, ik had dat nog nooit gezien. Opeens vond ik ze allebei veel leuker en veel jonger.

Oom Brandje vroeg of ik nog steeds een jongen wil zijn, of een derde persoonlijkheid wil hebben. Hij vertelde dat hij wel eens had gedroomd dat hij een vrouw was.

Erna vond dat interessant en stelde haar moeder voor aan oom Brandje.

'Ze speelt geen viool,' zei ze vals.

Het was een rare avond. De vader en moeder van Erna stonden de hele tijd met de armen om elkaar heen geslagen. Ze hebben aan mijn ouders en die van Tina gevraagd of we mee mogen naar Rome.

We mogen! Een hele week, de vader van Erna brengt ons weg en we vliegen met z'n drieën terug. Erna's moeder vindt het heerlijk dat we komen, Rome is geweldig, zegt ze.

Boris hoorde van de plannen en keek opeens een beetje kwaaiig.

'Je denkt toch niet dat je mee kan, dit is een trioPETzaak,' zei Erna.

'Wacht maar,' fluisterde Boris in mijn oor, 'wij gaan gewoon naar Afrika, ik kan daar overal logeren.'

Erna en Tina wilden natuurlijk weten wat hij zei, maar dat heb ik niet verteld. Het is ons geheim.

Wij samen naar Afrika. De hele nacht heb ik eraan liggen denken.

Later op de avond zijn we op het schoolplein gaan dansen. Het was alsof we al een beetje weg waren.

Luc kwam zeggen dat hij de musical echt heel goed vond. Hij gaf me zelfs een zoen. Als volwassenen onder elkaar.

De hele avond was Tina nergens te bekennen, Herman ook niet. Pas aan het eind van het feest kwamen ze weer tevoorschijn. Erna vroeg wat wij hadden uitgevreten. Ze werden allebei knalrood, maar zeiden niets.

Het laatste nummer van de band was precies om twee uur. We zongen allemaal mee. Ik voelde weer dat ergens van heel diep tranen kwamen. Ik wilde geen tranen. Ik wilde ook niet dat Christientje over het schoolplein liep.

Maar ze liep er wel. Ze was klein en droeg een rode jurk met paddenstoelen erop geborduurd en rode sandalen. Ze was heel bruin en haar witte krullen glansden om haar hoofd. Ze danste helemaal alleen om een boom.

Ik wees naar haar, maar niemand zag iets. Ik zag dat ze huilde. Toen riep ik haar.

Maar opeens was Boris weer bij mij. Hij trok me mee en zoende me, heel lang.

Daarna wist ik niet meer of ik Christientje echt heb gezien.

Morgen hebben we een afspraak. Boris en ik. Ik heb het aan niemand verteld.

23

Een dood kind wordt een leven lang herinnerd. (opgeschreven door Puck en Pauline)

We zitten naast elkaar op het gras in het Vondelpark, vlak bij de grote vijver. Boris plukt met zijn vingers in het gras. Ik rol de pijpen van mijn spijkerbroek op. Mijn benen zijn wit en ook dun. Het voelt opeens naakt. Ik rol de pijpen weer terug.

Het is warm, onze skeelers liggen naast ons, we hebben allebei blote voeten, de mijne zijn veel kleiner dan die van hem.

'Nou wil ik het weten van die witte neushoorn,' zeg ik.

Boris zucht. Hij schuift dichter naar mij toe. Ik herken de geur van zijn haar. Ik kijk naar zijn handen die steeds driftiger in het gras plukken.

Ik draai de neushoorn rond in mijn hand en kijk naar zijn vreemde vorm, met de rechtopstaande hoorns, een grote en een kleine.

'Is hij echt wit?'

'Hij is helemaal niet wit. Het woord wit komt van het Zuid-Afrikaanse *weit*, dat gewoon wijd, breed betekent. Dat slaat op de lippen. Bij de zwarte neushoorn zijn die meer puntig. Weet je, ik wil terug naar Afrika omdat de witte neushoorn is verschenen toen mijn broertje Maarten net dood was. Ik was naar buiten gelopen. Mijn ouders waren binnen, mijn andere broers ook. Maarten lag in zijn bed, dood. De gordijnen waren dicht. Het was heel stil, griezelig stil. Toen ik buiten kwam stond die enorme neushoorn daar. Ik schrok, hij was ontzettend groot, het was een mannetje. Hij heeft kleine ogen, de neushoorn, maar hij keek me aan. Heel indringend. Hij graasde niet, hij liep niet weg, hij stond daar maar en keek naar mij. Ik durfde me niet te bewegen, ik dacht dat hij mij kwam halen, dat ik ook dood zou gaan.' De stem van Boris stokt.

'En toen?'

'Ik was een hele tijd alleen, tot ook mijn vader naar buiten kwam. Hij ging naast me staan. Het was doodstil terwijl daar buiten altijd veel geluiden zijn. Mijn vader zei dat de witte neushoorn een oerdier is, dat er een legende bestaat over de witte neushoorn. Dat verhaal had hij gehoord van een Afrikaan. Als een kind doodgaat verschijnen ze soms en ze staan dan lang stil op de plek waar het kind is doodgegaan. De geest moet rust krijgen en de witte neushoorn brengt die rust door zijn roerloosheid. In sommige culturen brengen ze met zingen en dansen de geest over naar waar hij moet gaan. In Afrika helpt de witte neushoorn erbij. Hij zorgt door zijn stilstaan dat wij stilstaan. Ook mijn vader bewoog niet. "Van een legende is altijd iets waar," zei hij. Het duurde heel lang, toen liep de neushoorn weg en gingen wij naar binnen.

Toen we een paar dagen later terugkwamen van de begrafenis stond hij er weer, op precies dezelfde plek.'

'Wil je die plek terugzien?'

'Ja, dat wil ik absoluut. We zijn vrij snel na de dood van mijn broertje vertrokken uit Afrika. Mijn moeder wilde er niet meer zijn. Ze kon geen slang meer zien, dat maakte haar bang. Het verhaal van de neushoorn wilde ze ook niet horen. Er was opeens niets meer goed aan Afrika. Daarom vertrokken we naar Amerika. Maar ik wil terug, ik wil de plek zien van de slang, ik wil kijken of de neushoorn weer verschijnt als ik daar terugkom. Ik heb het mijn broertje beloofd toen we weggingen, dat ik hem niet voor altijd alleen in dat land zou laten.'

'Ik wil mee,' zeg ik, 'ik wil hem ook zien.'

'Ik denk dat mijn broertje er nog een beetje is. Dat hij ook in mij zit, ik doe zoveel verschillende dingen, het is net alsof ik voor twee tegelijk leef. Misschien als ik terugga, dat het dan ophoudt.'

'Ik wil mee,' zeg ik weer. 'Ik wil ook dat het ophoudt dat ik mijn zusje zie en dat ik denk dat ze leeft.'

'Het houdt ook op,' zegt Boris. 'Daarom wil ik terug. Ik wil in het land leven waar we hem hebben achtergelaten. Ik wil daar iets doen.'

Hij legt opeens een hand op mijn knie. 'En jij gaat mee, want jij snapt het.'

'Een dood kind wordt een leven lang herinnerd,' zeg ik. Het is een zin die ik heb opgeschreven maar hij is niet van mij. Ik heb het mama horen zeggen. 'Ik ben bang dat het nooit overgaat.'

'Het gaat om de manier waarop,' zegt Boris, 'dat ligt aan onszelf.'

Zijn hand brandt op mijn knie. Ik weet helemaal niet of ik het snap. Ik weet opeens ook niet meer of ik wel mee wil. Afrika voelt ver en griezelig.

'Wil je de mascotte niet terug, hij heeft goed gewerkt voor de fee, moet hij nu niet bij jou zijn?'

'Nee, hij moet bij jou blijven, de neushoorn kan jou ook helpen met je zusje. Weet jij eigenlijk precies hoe jouw zusje verdronken is?'

'Een beetje.'

Ik vertel Boris over de vijver bij oom Koos. Over de verjaardag, over alle mensen in de tuin. 'Maar eigenlijk weet ik niet zoveel,' besluit ik.

'Zie je die oom Koos vaak?'

'Nooit. Hij wil ons niet meer zien, geloof ik, of mijn ouders willen hem niet meer zien, ik weet het niet.'

'Moeten we uitvinden. Je moet die oom Koos van jou leren kennen.'

Ik staar in de grote parkvijver. Alles lijkt anders geworden. Groter en ingewikkelder. Volwassen worden is een brug overlopen, heeft mijn vader weleens gezegd. Het is net alsof er een grote brug over de vijver ligt. Maar er ligt helemaal geen brug.

Ik pak mijn skeelers. Boris doet hetzelfde.

'Boven op je hoofd is het al een beetje rood,' zegt Boris. 'Je rode haar komt terug, dat vond ik nog mooier.'

'Vergeet het, voorlopig ben ik wit en heet ik Pauline. Kom op, ik kan harder dan jij.'

Ik neem een scherpe bocht. Ik ga een hele ronde harder. Dan rijdt Boris mij voorbij.

'Maar wit is spannender,' roept hij.

24

DAGBOEK

Over een week gaan we naar Rome met de trioPET.

Als we terug zijn gaan we zeilen. Mama heeft gezegd dat ze Harm en mij wil leren zeilen. We hebben een boot en een huis gehuurd in Friesland. Daar vieren we mijn verjaardag.

'Het zou te gek zijn als ik jullie niet leerde zeilen,' zei ze, 'de dochter van een kapitein. Ik kan het gewoon het beste. En ik vind het geweldig.'

Ik vond haar stoer.

Harm vroeg of ze beter kan zeilen dan papa en daar moest ze om lachen.

Papa ook. 'Bergen jullie je maar, dat wordt keihard werken, ik ga heerlijk liggen lezen,' zei hij, 'dit wordt voor mij een heerlijk rustige vakantie.'

Waarschijnlijk komt Boris ook een paar dagen langs in Friesland. Misschien Erna ook.

Ik heb oom Koos gebeld en wel een halfuur met hem gepraat. Toen heb ik de telefoon aan mama gegeven en ben ik achter in de tuin gaan zitten.

Even later kwam mama bij me zitten. Haar ogen waren rood. Ze sloeg een arm om me heen. Zo zaten we een tijdje.

'Het was fijn om met Koos te praten,' zei ze, 'door alles wat er is gebeurd, moet die hopeloze afstand die er is ook anders worden. We gaan elkaar weer ontmoeten, hij heeft verdriet en kan er niets aan doen, wij ook. We moeten die lange stilte oplossen. Jij bent onze bruggenbouwer, Pauline.'

Het was voor het eerst dat mama Pauline tegen me zei. Diezelfde dag heb ik weer naar de grote foto van Christientje gekeken.

En net als zo vaak, heb ik haar een zoen gegeven. Ze lachte.

Ik heb besloten dat ik voorlopig geen derde persoon wil hebben.

Pauline Puck Verhaar